Plane Activity Book for Kids Ages 8-12

THIS BOOK BELONGS TO

_____

About the Author

Abe Robson loves to make you think, have fun and get away from your digital devices. You can get more books on his author page below.

https://www.amazon.com/stores/Abe-Robson/author/B08JC31M46

Disclaimer

Parts of a Plane

Figure out the parts labelled 1-6 in the picture below.

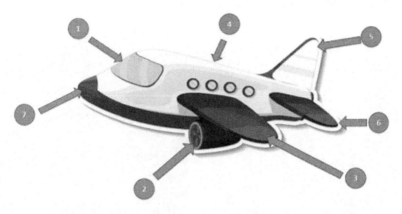

Image: Freepik.com. This image has been designed using assets from Freepik.com

Passport Creator 1

Write down the places you've visited below in the green box, and the places you want to visit in the red box.

Passport Creator 2

Circle or shade the parts of the world you want to visit.

Cost of Living Check 1

Which of these cities is more expensive overall in the year 2023? Circle the answers.

MIAMI	vs	SAN FRANCISCO
ATLANTA	vs	NEW YORK
CHICAGO	vs	SYDNEY
LONDON	vs	DELHI
BERLIN	vs	ORLANDO

Cost of Living Check 2

MELBOURNE	vs	MANCHESTER
BRISBANE	vs	BANGKOK
BALI	vs	KUALA LUMPUR
WASHINGTON DC	vs	SINGAPORE
PARIS	vs	PENANG

World Map Quiz 1

Shade or circle the following countries on the world map below:

United States of America

Madagascar

India

Australia

New Zealand

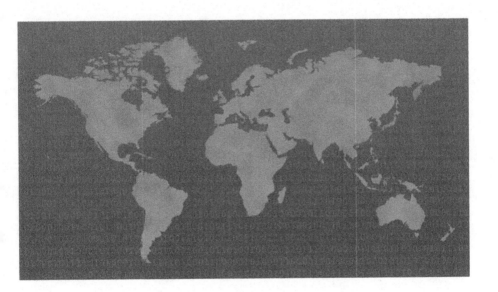

World Map Quiz 2

Shade or circle the following countries on the world map below:

Brazil

China

Greenland

Iceland

Argentina

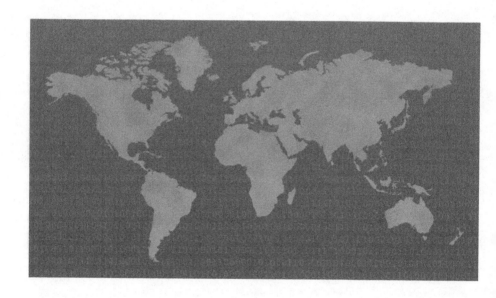

World Map Quiz 3

Find the following countries in Europe:

United Kingdom

Germany

Italy

Denmark

Portugal

World Map Quiz 4

Circle the following countries in Asia:

Sri Lanka

South Korea

Japan

Indonesia

Bangladesh

World Map Quiz 5

Circle the following countries in North and South America:

United States of America

Mexico

Canada

Peru

Ecuador

US Capitals Quiz 1

Find the capitals of below states and write it down in the box on the right.

US STATE
Arkansas
California
Colorado
Florida
Georgia

STATE CAPITAL

US Capitals Quiz 2

Find the capitals of below states and write it down in the box on the right.

US STATE
Hawaii
Illinois
Indiana
Kansas
Louisiana

STATE CAPITAL

US Capitals Quiz 3

Find the capitals of below states and write it down in the box on the right.

US STATE	STATE CAPITAL
Massachusetts	
Minnesota	
Missouri	
Nebraska	
New Hampshire	

US Capitals Quiz 4

Find the capitals of below states and write it down in the box on the right.

US STATE	STATE CAPITAL
New Mexico	
New York	
North Carolina	
North Dakota	
Ohio	

US Capitals Quiz 5

Find the capitals of below states and write it down in the box on the right.

US STATE	STATE CAPITAL
South Dakota	
Texas	
Vermont	
Washington	
Wisconsin	

World Capitals Quiz 1

Find the capitals of below countries and write it down in the box on the right.

COUNTRY
Albania
Algeria
Angola
Armenia
Austria

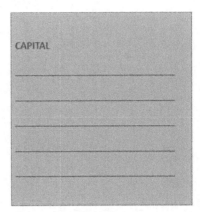

CAPITAL

World Capitals Quiz 2

Find the capitals of below countries and write it down in the box on the right.

COUNTRY
Bahamas
Bahrain
Belarus
Belgium
Bhutan

CAPITAL

World Capitals Quiz 3

Find the capitals of below countries and write it down in the box on the right.

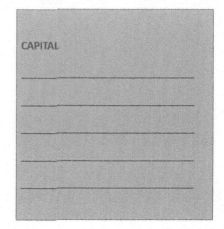

COUNTRY	CAPITAL
Bosnia and Herzegovina	_____
Botswana	_____
Brazil	_____
Bulgaria	_____
Cambodia	_____

World Capitals Quiz 4

Find the capitals of below countries and write it down in the box on the right.

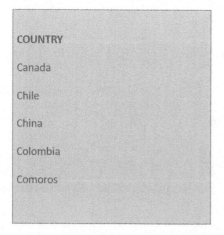

COUNTRY	CAPITAL
Canada	_____
Chile	_____
China	_____
Colombia	_____
Comoros	_____

World Capitals Quiz 5

Find the capitals of below countries and write it down in the box on the right.

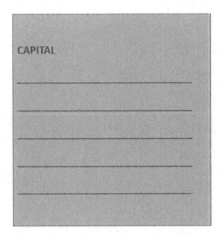

COUNTRY	CAPITAL
Croatia	_____
Cuba	_____
Cyprus	_____
Denmark	_____
Dominica	_____

World Capitals Quiz 6

Find the capitals of below countries and write it down in the box on the right.

COUNTRY	CAPITAL
Ecuador	_____
Egypt	_____
Estonia	_____
Fiji	_____
Finland	_____

World Capitals Quiz 7

Find the capitals of below countries and write it down in the box on the right.

COUNTRY
France
Gambia
Georgia
Ghana
Guinea

CAPITAL

World Capitals Quiz 8

Find the capitals of below countries and write it down in the box on the right.

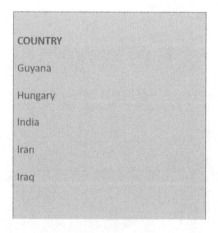

COUNTRY
Guyana
Hungary
India
Iran
Iraq

CAPITAL

World Capitals Quiz 9

Find the capitals of below countries and write it down in the box on the right.

COUNTRY	CAPITAL
Ireland	_____
Italy	_____
Japan	_____
Jordan	_____
Kenya	_____

World Capitals Quiz 10

Find the capitals of below countries and write it down in the box on the right.

COUNTRY	CAPITAL
South Korea	_____
Kosovo	_____
Latvia	_____
Lebanon	_____
Libya	_____

Mazes

Bob just arrived at the airport and needs to get to his terminal and gate to catch the flight as soon as possible. Find Bob's shortest path to his plane in the mazes below.

Maze 1

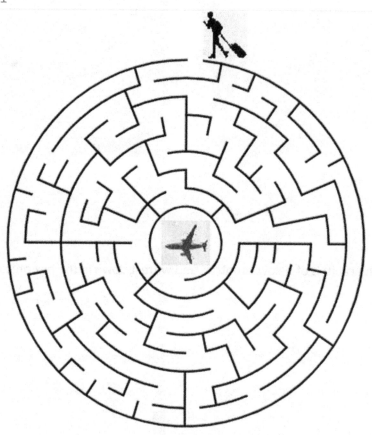

Maze 2

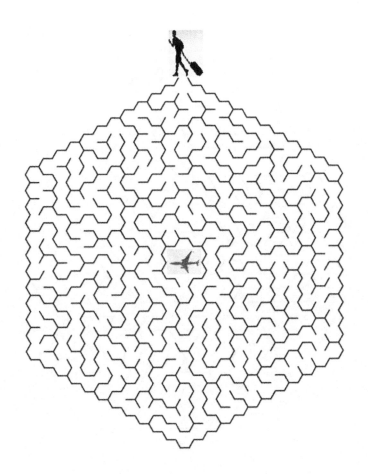

Maze 5

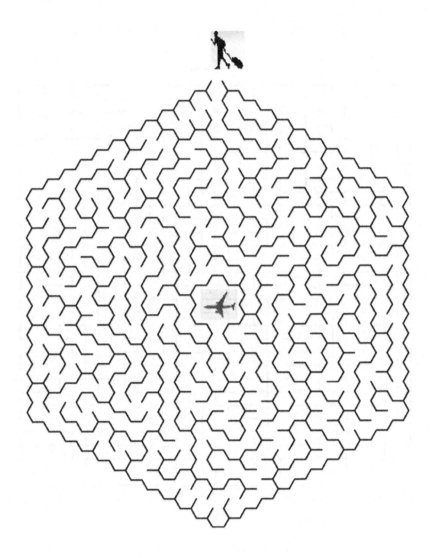

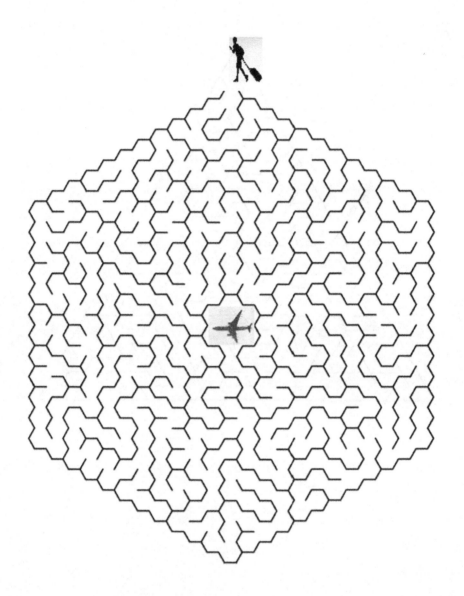

Crosswords

Solve the following crosswords below..

Airport Codes

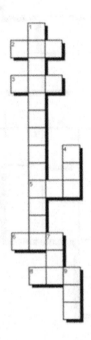

ACROSS

2. Los Angeles International Airport
3. Beijing Capital International Airport
5. Shanghai Pudong International Airport
6. Hartsfield-Jackson Atlanta International Airport
8. O'Hare International Airport

DOWN

1. HND
4. Hong Kong International Airport
7. Heathrow Airport
9. Dubai International Airport

Airport Codes 2

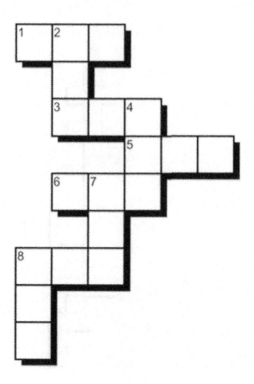

ACROSS
1. Dallas-Fort Worth International Airport
3. Amsterdam Airport Schiphol
5. Istanbul Atatürk Airport
6. Incheon International Airport
8. Denver International Airport

DOWN
2. Frankfurt am Main International Airport
4. Singapore Changi Airport
7. Guangzhou Baiyun International Airport
8. Indira Gandhi International Airport

Airport Codes 3

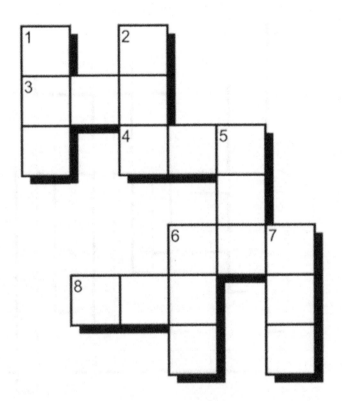

ACROSS

3. Chengdu Shuangliu International Airport
4. McCarran International Airport
6. Chhatrapati Shivaji International Airport
8. John F. Kennedy International Airport

DOWN

1. Barcelona El Prat Airport
2. Kuala Lumpur International Airport
5. San Francisco International Airport
6. Suvarnabhumi Airport
7. Adolfo Suárez Madrid Barajas Airport

History of Airplanes

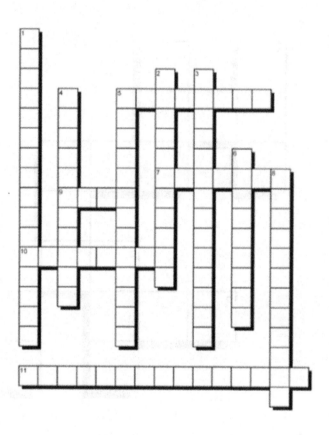

ACROSS

5. The_____brothers achieved the first controlled airplane flight in 1903.
7. The process of increasing an aircraft's speed in order to lift off the ground.
9. The U.S. government agency responsible for the nation's civilian space program and for aeronautics and aerospace research.
10. The supersonic airliner developed in the 1960s, capable of flying faster than the speed of sound.
11. The "Father of Modern Aeronautics" who formulated the three basic principles of flight.

DOWN

1. The world's first commercial jet airliner, introduced in 1952 by British Overseas Airways Corporation (BOAC).
2. The type of aircraft that the Wright brothers built and flew in 1903.
3. The first aircraft to complete a non-stop transatlantic flight in 1919.
4. The Russian aircraft designer who created the world's largest airplane, the Antonov An-225 Mriya.
5. The first woman to fly solo across the Atlantic Ocean in 1932.
6. The name of the Boeing aircraft that became one of the symbols of long-distance air travel after its introduction in 1970.
8. The German engineer who designed the first successful rocket-powered aircraft.

Types of Aircraft

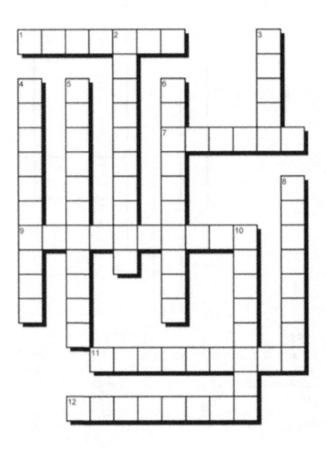

ACROSS

1. Blimp or Zeppelin
7. An unpowered aircraft without an engine
9. A vehicle designed for space travel beyond the Earth's atmosphere.
11. A rotary-wing aircraft that uses an unpowered rotor to auto-rotate and generate lift.
12. An aircraft capable of taking off and landing on water, using floats or hulls.

DOWN

2. Vertical Take off
3. Unmanned Aerial Vehicle
4. An aircraft used for aerial application of pesticides, fertilizers, or seeds on crops.
5. A smaller jet aircraft used for short to medium-haul flights between regional airports.
6. A high-speed military aircraft designed primarily for air-to-air combat
8. Fixed-wing aircraft
10. An aircraft with three sets of wings stacked one above the other

Airline Brands 1

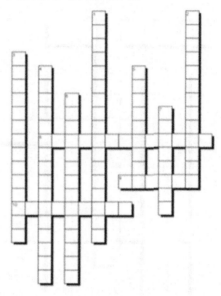

ACROSS

8. The largest airline of Hong Kong
9. The largest airline of Australia
10. The largest airline of France

DOWN

1. The largest airline of Singapore
2. One of the major airlines in the United States, known for its global network
3. The largest airline of the United Kingdom
4. One of the largest airlines in the world, headquartered in Fort Worth, Texas
5. The largest airline of Germany
6. A major American airline with hubs in various cities
7. The largest airline of the United Arab Emirates

Airline Brands 2

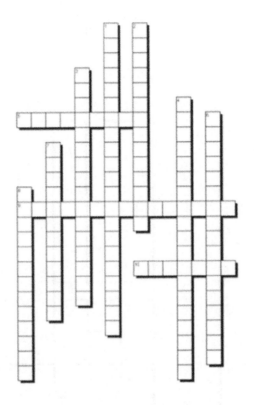

ACROSS
5. The flag carrier and largest airline of Canada
9. The national airline of Turkey
10. One of the largest low-cost airlines in Europe

DOWN
1. The flag carrier airline of the Netherlands
2. A British airline known for its stylish service and brand
3. One of the major airlines in Japan
4. The largest airline in Japan by fleet size
6. A major low-cost carrier in the United States
7. The state-owned flag carrier airline of Qatar
8. The national airline of the United Arab Emirates

Aircraft Manufacturers

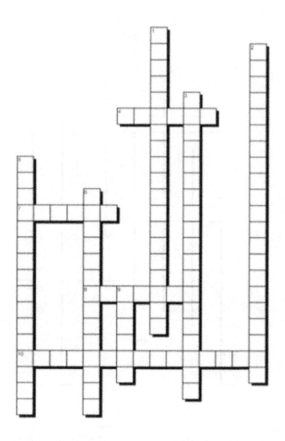

ACROSS

4. A European aircraft manufacturer and main rival of Boeing
7. A Russian aerospace manufacturer known for military aircraft
8. A Brazilian aerospace manufacturer producing commercial, military, and executive jets
10. An American aerospace and defense conglomerate

DOWN

1. A Canadian aerospace manufacturer known for regional jets
2. A renowned manufacturer of general aviation aircraft
3. A manufacturer of business jets and a subsidiary of General Dynamics
5. A French aerospace company known for producing fighter jets
6. An American global aerospace and defense company
9. The world's largest aerospace company

Air Travel Vocabulary

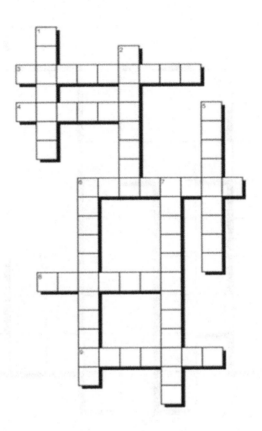

ACROSS

3. Turn this off during the flight
4. Important safety measure before the flight takes off.
6. Flying at a consistent altitude.
8. Greeting to passengers as they board the plane.
9. The plane is about to leave the gate

DOWN

1. Get ready for departure.
2. Farewell message from the crew.
5. Flight attendant personnel.
6. Dimming the lights for rest.
7. Stay seated until this sign is turned off.

In-Flight Entertainment

ACROSS

1. Lightweight, portable electronic devices used for entertainment.
4. These allow passengers to choose movies or shows.
8. Service that streams media content to personal devices.
9. The audio counterpart of in-flight entertainment.

DOWN

2. Magazines and newspapers provided to passengers
3. Popular on-demand video streaming service on some flights.
5. Pre-downloaded content on personal devices.
6. Airline's custom-made content for passengers.
7. Type of screen often used for in-flight entertainment

Countries with largest airline traffic

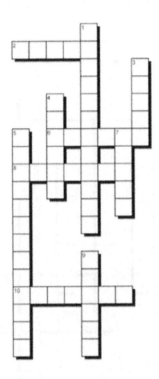

ACROSS
2. The Land of the Rising Sun
6. Large country by land mass
8. Referred to as the "Emerald Isle
10. Largest economy in Europe

DOWN
1. Largest economy in the world based on nominal GDP
3. Has the world's second largest population
4. The country which used to be Constantinople
5. Country which invented cricket
7. A country that has never invaded another country
9. Largest country in South America

Most Popular Travel Destinations in USA

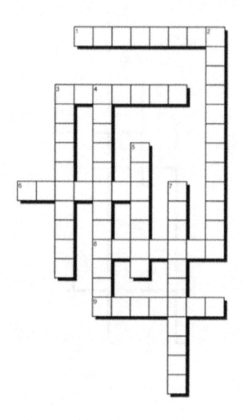

ACROSS
1. A desert oasis with casinos
3. The city that never sleeps
6. The birthplace of Martin Luther King
8. Has Walt Disney and Universal Studios
9. Famous for the deep-dish pizza

DOWN
2. Has the Golden Gate Bridge
3. A city known for its jazz music
4. The capital of the USA
5. Has the space needle
7. A breathtaking natural wonder of the world

Most Popular Travel Destinations in Canada

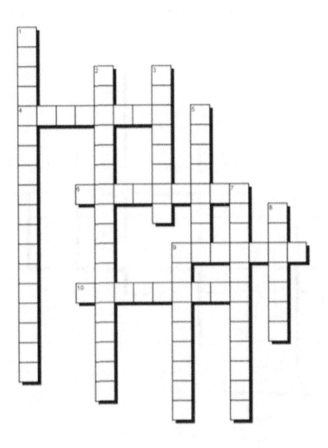

ACROSS

4. Home to one of the largest shopping and entertainment complexes in the world
6. A lively prairie city with river view
9. A gateway to the Rocky Mountains.
10. A stunning city surrounded by mountains and the Pacific Ocean

DOWN

1. A breathtaking national park in the Rockies
2. A national park known for its majestic Rocky Mountain landscapes
3. A city with a distinct French influence.
5. The charming capital of British Columbia
7. A world-famous natural wonder shared between Canada and the USA
8. Canada's largest city, with a vibrant downtown, iconic landmarks like the CN Tower, and diverse neighbourhoods.
9. Known as the "Polar Bear Capital

Most Popular Travel Destinations in France

ACROSS

4. Famous for its majestic châteaux (castles) and vineyards

8. Home to the grand Palace of Versailles

9. A vibrant city on the French Riviera.

DOWN

1. A bustling port city with a diverse culture

2. A region with dramatic cliffs, historic D-Day beaches

3. The capital city known for the Eiffel Tower, Louvre Museum, and Notre-Dame Cathedral

5. France's gastronomic capital.

6. Famous for the Palais des Papes

7. A picturesque region known for its lavender fields

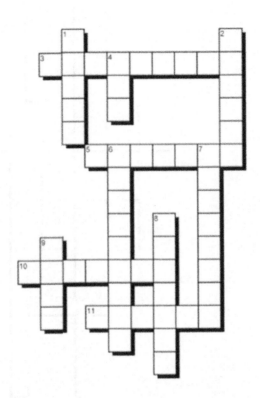

ACROSS

3. The tech and IT which has Cubbon Park
5. The vibrant coastal city renowned for Marina Beach
10. The cultural hub known for the Victoria Memorial
11. The Pink City

DOWN

1. The capital city of India
2. The bustling metropolis which is the home of Bollywood
4. The iconic beach destination most popular among tourists
6. The lively city known for very spicy food
7. The Golden Temple city
8. The city of lakes famous
9. The picturesque hill station with the Nilgiri Mountain Railway

Most Popular Travel Destinations in Sri Lanka

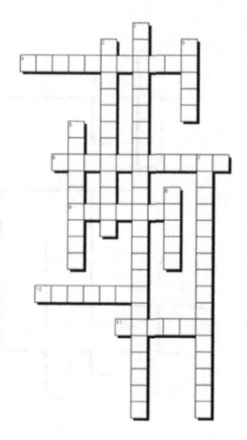

ACROSS

4. An ancient city with well-preserved ruins
6. Little England" of Sri Lanka
9. A popular beach destination known for whale watching
10. The capital city known for vibrant markets, colonial architecture, and the Galle Face Green promenade
11. A city in the northern part of Sri Lanka, known for its vibrant Tamil culture

DOWN

1. Home to the famous World's End viewpoint
2. An important ancient city with impressive archaeological sites, including sacred Buddhist temples
3. Home to the Temple of the Sacred Tooth Relic, scenic beauty, and the annual Esala Perahera festival
5. A surfer's paradise with one of the best surfing spots in Sri Lanka
7. Renowned for diverse wildlife, including elephants and leopards
8. A charming coastal city with a well-preserved Dutch Fort, beaches, and narrow streets

Most Popular Travel Destinations in Thailand

ACROSS
2. The bustling capital city known for vibrant street life
5. A charming town in the mountains, known for its natural beauty
7. Thailand's largest island
8. A relaxed island with beautiful beaches
9. A culturally rich city in the mountains of northern Thailand

DOWN
1. A province with stunning limestone cliffs and clear waters
3. Famous for its full moon parties
4. An ancient city with UNESCO-listed ruins, showcasing the historical heritage of Thailand
6. A tropical island with pristine beaches and lively beachside nightlife
8. A popular destination for divers and snorkelers

Most Popular Travel Destinations in Vietnam

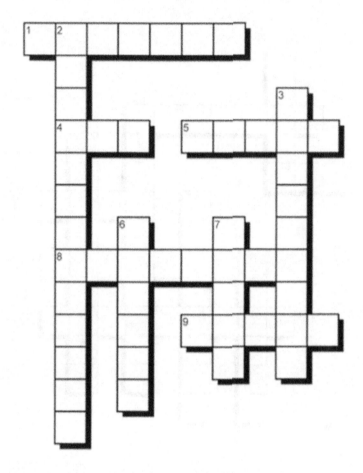

ACROSS

1. The island paradise with sandy beaches to the south of Vietnam
4. The historic town with thePerfume River
5. The mountain town with French-style villas, pine forests, and the "Valley of Love"
8. The coastal city with beautiful beaches and vibrant nightlife
9. The UNESCO World Heritage site known for its historic trading port

DOWN

2. The vibrant metropolis famous which is the largest city in Vietnam
3. The picturesque bay with thousands of limestone karsts
6. The river town with floating markets and a network of canals
7. The bustling city which is the largest city in North Vietnam

Most Popular Travel Destinations in Mexico

ACROSS

4. A trendy coastal town near Cancún, famous for its beaches, shopping, and proximity to Mayan ruins
6. A world-renowned beach resort destination on the Caribbean coast
7. A coastal archaeological site with well-preserved Mayan ruins overlooking the Caribbean Sea
9. Mexico's second-largest city, celebrated for its mariachi music
10. A beautiful resort area at the southern tip of the Baja California Peninsula

DOWN

1. The capital of the Yucatán Peninsula
2. One of the most famous Mayan archaeological sites
3. A popular beach destination on the Pacific coast
5. A culturally rich city with colonial architecture
8. The capital and largest city

Most Popular Travel Destinations in Germany

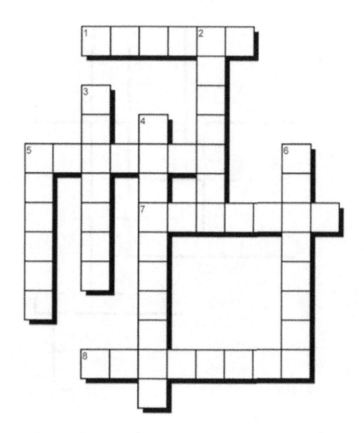

ACROSS

1. The vibrant city famous for its Oktoberfest celebration
5. The charming town known for its half-timbered houses
7. The vibrant city with historical landmarks, the Frauenkirche, and Zwinger Palace
8. The medieval city known for its impressive castle

DOWN

2. The historic city with a vibrant Rhine riverfront
3. The modern city with a beautiful harbor, the Elbphilharmonie, and Speicherstadt
4. The university town in Eastern Germany with a lovely old town and the Church of St. Mary
5. The capital city known for its rich history
6. The romantic city with a beautiful old town

Most Popular Travel Destinations in Malaysia

ACROSS

4. The city that borders Singapore
5. The rainforest city with orangutans, Sepilok Orangutan Rehabilitation Centre, and Kinabatangan River
7. The city of history with the largest international trading route
9. The beach town known for seafood, Morib Beach, and Gold Coast Sepang
10. The island city with water villages, Sarawak Cultural Village, and Bako National Park

DOWN

1. The cultural city with museums, Kelantan River Cruise, and Istana Balai Besar
2. The cultural city with floating mosques, Istana Tamu, and Sabah State Museum
3. The capital city known for the Petronas Twin Towers, Batu Caves, and Bukit Bintang
6. The historic city with UNESCO-listed George Town, street art, and Penang Hill
8. The city of nature and adventure with Gunung Mulu National Park, Clearwater Cave, and Pinnacles Trail

Most Popular Travel Destinations in Poland

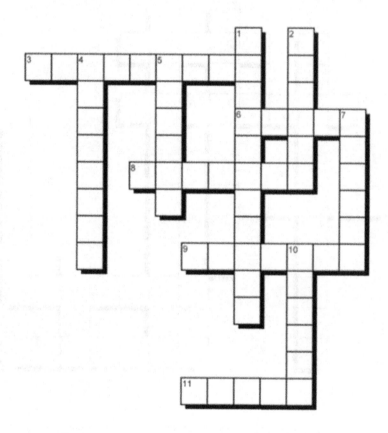

ACROSS

3. The city with the largest German concentration camp
6. The picturesque town known for wooden churches, Bieszczady National Park, and San River
8. The castle town with a medieval fortress, Zamek Krolewski, and Gothic Bridge
9. The historical city with a medieval old town and Centennial Hall
11. The historic city with Copernicus House

DOWN

1. The historical city with the Jasna Gora Monastery, Black Madonna of Czestochowa, and Pauline Fathers Monastery
2. Coastal city with sandy beaches, historic port, and St. Mary's Church
4. The coastal city with sandy beaches and Pomeranian Dukes' Castle
5. The capital city known for the historic Old Town
7. The medieval city with Wawel Castle, and Main Market Square
10. The cultural city with Majdanek Concentration Camp

Most Popular Travel Destinations in Hungary

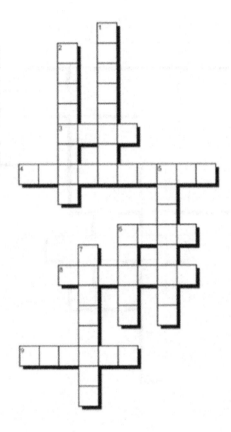

ACROSS

3. The cultural city with the National Theatre, Pécs Cathedral, and Zsolnay Cultural Quarter
4. The Baroque town with Esterházy Palace, Haydn House, and Fertő-Hanság National Park
6. The castle town with the Old Lake, and Oreghegy Cave
8. The historic city with thermal baths, Anna Cave, and Castle of Diósgyőr
9. The picturesque town with Sopron Firewatch Tower, Romanesque Church, and Medieval Walls

DOWN

1. The architectural gem with its historic thermal bath
2. The capital city known for the stunning Parliament Building, Buda Castle, and Chain Bridge
5. The historic city with the Aggtelek National Park, Baradla Cave, and Bódva Valley
6. The wine region with vineyards, wine cellars, and wine tastings
7. The riverside town with the Danube Bend, Visegrád Citadel, and Solomon Tower

Most Popular Travel Destinations in Russia

ACROSS

1. The cultural city with the Novosibirsk Opera and Ballet Theatre, Alexander Nevsky Cathedral, and Krasny Prospekt
4. The coldest city in Russia and the world
6. The Arctic city with the Murmansk Oblast State Drama Theater, Alyosha Monument, and Northern Fleet Naval Museum
8. The capital city known for the Kremlin, Red Square, and St. Basil's Cathedral
9. The medieval city with the Golden Gate and Assumption Cathedral

DOWN

2. The Siberian city with the Trans-Siberian Railway, Lake Baikal, and Listvyazhnaya Tower
3. The cultural city with the Tatarstan State Museum of Fine Arts, Hermitage Kazan Center, and Millennium Park
5. The historic city with the Kazan Cathedral, Yaroslavl Embankment, and Church of Elijah the Prophet
7. The coastal city with the Black Sea beaches and Rosa Khutor Alpine Resort

Most Popular Travel Destinations in China

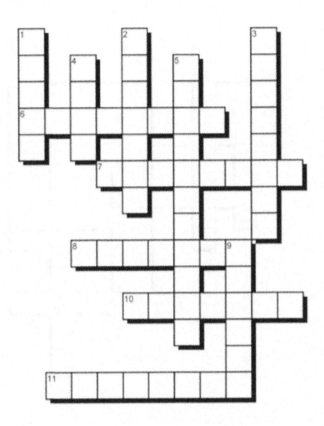

ACROSS

6. The most cosmopolitan city in China Garden
7. The vibrant city with West Lake, Lingyin Temple, and Hefang Street
8. The cultural city with the Shaolin Temple, Longmen Grottoes, and White Horse Temple
10. The capital city known for the Great Wall of China, and Tiananmen Square
11. The futuristic city with Shenzhen Bay Park, Shenzhen Window of the World, and Meridian View Centre

DOWN

1. The sacred mountain with the Potala Palace, Jokhang Temple, and Barkhor Street
2. The coastal city with Beer Street, Zhanqiao Pier, and May Fourth Square
3. The modern metropolis with Victoria Harbour, Symphony of Lights, and Disneyland
4. The ancient city with Terracotta Army
5. The natural wonder with Zhangjiajie National Forest Park, Tianmen Mountain, and Glass Bridge
9. The picturesque region with Li River, Yangshuo countryside, and karst landscapes

Most Popular Travel Destinations in New Zealand

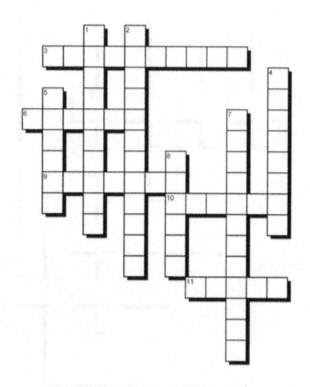

ACROSS

3. The adventure capital with stunning landscapes, Queenstown Gardens, and the Remarkables
6. The wine region with vineyards, wine tours, and Hawke's Bay Farmers' Market
9. The geothermal wonderland with Pohutu Geyser, Wai-O-Tapu Thermal Wonderland, and Lake Rotorua
10. The coastal town with Abel Tasman National Park, golden beaches, and kayaking adventures
11. The geothermal city with Huka Falls, Taupo Lakefront, and Craters of the Moon

DOWN

1. The cultural city with Te Papa Museum and Mount Victoria
2. The coastal city with Bluff, Bluff Hill, and the Bluff Oyster Festival
4. The capital city known for its iconic Sky Tower
5. The charming town with Victorian Precinct, Moeraki Boulders, and Blue Penguin Colony
7. The beachside city with New Brighton Pier, Sumner Beach, and Port Hills
8. The picturesque village with Lake Wanaka, Roys Peak Track, and Puzzling World

Most Popular Travel Destinations in Colombia

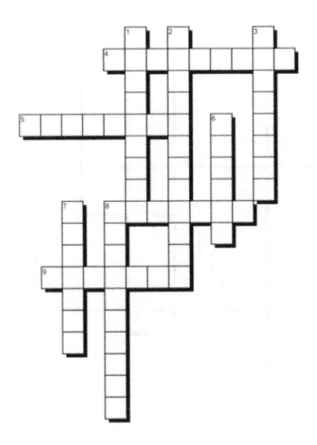

ACROSS

4. The lush town with Los Nevados National Natural Park, hot springs, and mountain landscapes
5. The tropical town with wildlife, beaches, and Taironaka Archaeological Park
8. The picturesque town with the Cocora Valley, wax palms, and coffee plantations
9. The coastal town with beaches, Tayrona National Natural Park, and Lost City Trek

DOWN

1. The remote town with Tayrona Beach, diving, and Cabo de la Vela
2. The charming town with colonial architecture, Bolívar Plaza, and Church of San Agustin
3. The digital nomad capital of Colombia
6. The vibrant city with historical La Candelaria, Gold Museum, and Monserrate Hill
7. The colonial city with historical buildings, La Merced Church, and Plaza de Bolívar
8. The archaeological site with ancient statues, El Infiernito, and the San Agustin Archaeological Park

Most Popular Travel Destinations in Argentina

ACROSS

5. The historic city with Jesuit Ruins of Trinidad and Jesús, Yapeyú Birthplace of San Martín, and Plaza 25 de Mayo
6. The mountain village with Salta Cathedral, Tren a las Nubes, and Quebrada de Humahuaca
8. The Atlantic coast with sand dunes, Valdés Peninsula, and Punta Tombo Penguin Colony

DOWN

1. The cultural city with Jesuit Block and Estancias of Córdoba, Plaza San Martín, and Sarmiento Park
2. The vibrant capital city with the iconic Obelisk
3. The breathtaking region with glaciers
4. The coastal city with beaches, Mar del Plata Aquarium, and Plaza Colón
7. The picturesque wine region with vineyards, Malbec wine, and Andes Mountain views

Most Popular Travel Destinations in United Kingdom

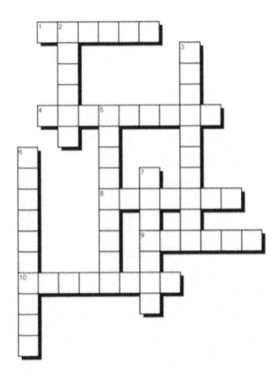

ACROSS

1. The capital city known for the Buckingham Palace
4. The maritime town with the Cutty Sark, the National Maritime Museum, and the Royal Observatory
8. The maritime city with the Clifton Suspension Bridge and the SS Great Britain
9. The medieval city with the River Wear
10. The coastal town with the Royal Pavilion

DOWN

2. The university city with Bodleian Library and Christ Church College
3. The home of the two largest football clubs in England
5. The historic city that's capital of Scotland
6. The historic town with the St. Augustine's Abbey, and the Westgate Towers
7. The picturesque town with Eton College, and the Long Walk

Word Searches

Find the words below the puzzle in the word maze for the puzzles below.

Natural Wonders of the World

I	N	L	O	B	W	P	P	S	C	I	L	G	C	N	W
V	C	D	S	U	X	M	W	Q	W	V	V	S	I	K	V
K	J	Y	W	G	C	I	N	N	B	H	B	T	S	K	D
H	S	B	R	I	O	A	B	K	G	W	U	R	J	B	F
M	K	V	B	H	F	K	N	A	B	C	O	E	Q	P	D
G	P	C	F	M	J	Q	J	F	I	T	D	N	E	T	U
A	N	N	S	N	M	C	B	R	J	R	M	W	B	S	D
V	P	I	J	O	D	S	A	F	W	M	X	O	S	Q	D
B	T	I	C	I	F	P	M	Y	N	U	V	L	F	B	T
U	P	G	T	S	E	R	E	V	E	T	N	U	O	M	D
K	E	B	J	E	A	Q	N	R	F	C	M	K	T	S	I
I	C	N	X	M	F	X	S	O	N	J	R	I	P	M	M
F	E	E	R	R	E	I	R	R	A	B	T	A	E	R	G
N	D	S	L	L	A	F	A	I	R	O	T	C	I	V	V
N	O	R	T	H	E	R	N	L	I	G	H	T	S	X	S
D	R	O	B	R	A	H	S	O	I	G	K	O	C	N	D
C	S	C	E	R	E	K	O	T	M	C	S	S	I	C	E
I	P	N	O	Y	N	A	C	D	N	A	R	G	R	S	W
I	O	V	B	D	K	A	R	Y	K	T	G	A	H	S	V
M	O	J	E	A	B	L	E	A	F	G	D	X	M	A	N

NORTHERN LIGHTS   GRAND CANYON
PARICUTIN   MOUNT EVEREST
HARBOR   VICTORIA FALLS
GREAT BARRIER REEF

Man-Made Wonders of the World

```
P  B  I  V  X  J  F  N  T  S  J  O  G  K  V  B
Y  X  P  U  U  Y  L  M  R  I  P  N  W  A  V  J
W  F  D  A  R  A  N  C  S  R  O  E  D  S  T  O
J  O  T  U  K  Z  Y  H  I  D  G  Q  M  M  D  R
Q  W  P  M  K  T  J  R  Q  W  F  E  J  A  P  V
B  Q  P  A  F  I  G  I  E  B  Y  X  C  N  V  S
P  N  S  J  U  N  L  S  H  Q  D  G  G  I  D  Q
D  T  N  F  E  E  A  T  P  M  J  H  I  H  N  G
X  L  G  U  E  H  H  T  E  M  I  M  Z  C  S  F
J  B  O  O  W  C  A  H  H  A  M  A  A  F  C  J
G  J  Q  S  C  I  M  E  D  F  E  C  P  O  I  A
P  R  M  K  V  H  J  R  W  T  K  H  Y  L  F  H
B  E  O  M  R  C  A  E  B  M  N  U  R  L  W  S
Y  V  J  O  F  R  T  D  B  V  B  P  A  A  T  J
R  A  U  G  E  Y  M  E  K  Q  X  I  M  W  V  H
T  H  R  H  V  D  T  E  K  U  K  C  I  T  Q  G
M  Q  P  T  T  D  X  M  B  O  U  C  D  A  E  P
I  E  R  P  E  T  P  E  L  C  X  H  S  E  S  S
W  T  R  P  G  P  K  R  L  N  G  U  C  R  S  J
S  Q  J  C  O  L  O  S  S  E  U  M  F  G  T  M
```

GREAT WALL OF CHINA	PETRA
CHRIST THE REDEEMER	MACHU PICCHU
CHICHEN ITZA	COLOSSEUM
TAJ MAHAL	GIZA PYRAMIDS

Famous Airports

H	B	A	U	D	M	I	B	P	B	S	D	E	E	X	H
G	M	H	F	R	R	A	U	R	E	I	X	A	S	K	T
D	W	C	O	E	O	I	C	N	H	S	O	A	V	A	R
X	O	X	Y	B	X	H	H	J	N	S	D	U	I	S	O
V	G	M	C	K	J	D	A	L	F	T	T	S	N	Q	W
Y	S	O	W	L	L	N	R	T	S	G	S	W	O	Q	T
C	M	H	X	L	U	A	L	E	W	N	H	X	S	K	R
O	E	S	L	O	B	G	E	K	W	D	O	C	K	U	O
I	T	B	J	S	N	A	S	C	G	C	H	A	C	W	F
H	X	F	H	A	A	R	D	K	S	A	E	G	A	S	S
D	N	S	M	N	T	I	E	T	I	H	A	P	J	Y	V
Q	N	S	U	G	S	D	G	V	N	M	T	O	D	C	L
J	Q	Q	B	E	I	N	A	C	N	X	H	D	L	S	J
F	O	F	R	L	S	I	L	C	G	V	R	U	E	E	W
V	L	E	V	E	A	N	L	S	A	R	O	B	F	D	O
H	F	R	E	S	S	P	E	D	T	F	W	A	S	G	T
X	F	A	O	X	X	B	O	L	F	F	Q	I	T	G	O
O	I	H	D	W	V	A	L	D	L	K	Y	K	R	J	G
G	G	'	B	P	K	X	Y	O	U	B	U	V	A	Y	C
S	X	O	N	F	X	I	W	J	S	D	U	J	H	L	W

HARTSFELD JACKSON   CHARLES DE GALLE
O'HARE   HEATHROW
LOS ANGELES   DUBAI
FORT WORTH   ISTANBUL
INDIRA GANDHI

Aircraft Instruments

```
S  S  T  T  T  K  F  Q  M  S  F  W  C  W  A  C
T  T  X  C  B  D  U  S  N  O  S  O  E  F  W  U
N  L  S  T  P  S  C  R  G  O  M  A  M  F  X  A
E  T  Y  H  E  M  L  E  F  P  T  A  N  D  I  I
M  C  L  V  G  A  E  E  A  H  A  G  X  R  B  B
U  N  A  G  X  Q  W  S  E  A  C  O  D  R  P  V
R  U  T  J  F  Q  S  R  U  Y  W  A  E  O  F  W
T  E  C  E  W  B  R  N  F  D  T  T  N  T  C  O
S  X  T  B  W  A  T  H  Q  A  H  B  G  A  S  I
N  M  J  E  D  Y  H  H  C  A  A  U  I  N  J  X
I  D  A  A  M  Q  G  O  K  T  O  R  N  I  Y  T
Y  T  R  U  E  I  M  P  O  U  H  O  E  D  E  W
B  W  G  P  T  P  T  N  P  V  C  B  K  R  F  Q
D  U  Y  W  U  O  A  L  Q  J  E  E  B  O  O  M
N  K  B  T  C  V  P  L  A  I  E  B  O  O  X  O
A  Q  E  I  W  I  X  I  B  D  C  U  V  C  K  R
T  R  G  L  M  U  N  W  L  K  N  C  J  N  J  H
S  F  X  K  W  D  B  G  N  O  J  S  X  R  S  L
Y  J  A  C  M  X  I  H  V  N  T  M  N  U  T  Q
K  I  G  V  E  X  H  E  G  E  E  N  E  T  Q  I
```

ALTIMETER

TURN COORDINATOR

ENGINE

STANDBY INSTRUMENTS

COMPASS

AIR DATA COMPUTER

AUTOPILOT

WEATHER RADAR

Flight Crew Roles

```
E  H  Q  J  T  E  A  N  T  C  L  T  F  P  P  E
H  G  E  M  W  S  B  P  U  S  S  I  G  A  B  O
G  M  H  X  U  U  E  X  R  T  R  E  I  X  W  O
H  T  D  I  U  K  Y  J  N  S  K  D  V  A  V  E
B  E  U  G  H  E  I  E  T  W  W  G  F  P  A  P
J  Q  X  A  I  E  G  O  F  A  W  C  T  U  M  O
Q  E  Q  O  O  A  F  P  W  Q  C  P  K  B  X  Q
H  T  U  A  P  F  E  N  T  L  K  W  G  L  X  H
O  G  U  M  I  N  G  W  S  H  E  O  F  P  R  I
M  T  A  C  A  R  E  T  S  A  M  D  A  O  L  P
P  R  E  S  W  S  N  T  I  X  A  J  D  Y  C  B
T  R  A  I  N  I  N  G  C  A  P  T  A  I  N  G
R  E  H  C  T  A  P  S  I  D  T  H  G  I  L  F
U  T  E  C  H  N  I  C  A  L  P  I  L  O  T  S
F  L  I  G  H  T  E  N  G  I  N  E  E  R  C  L
Y  S  R  E  C  I  F  F  O  Y  T  E  F  A  S  Q
C  A  P  T  A  I  N  R  E  L  I  E  F  L  M  S
N  G  S  T  O  L  I  P  F  E  I  H  C  O  S  I
I  R  L  M  R  V  L  R  K  C  U  F  K  W  F  T
S  A  S  X  C  F  T  J  H  R  V  E  B  M  T  A
```

FIRST OFFICER	FLIGHT ENGINEER
CHIEF PILOT	LOADMASTER
SAFETY OFFICER	RAMP AGENTS
FLIGHT DISPATCHER	TRAINING CAPTAIN
TECHNICAL PILOT	CAPTAIN RELIEF

Aviation Acronyms

```
J T T X D C U K O I E R I P H I
H R T B E U R C J G Q F E R H F
S D F Y L H P W G Y R A D I T B
R S M G R V J W A I Y A G H I G
E C D O Y V A C B A Q U U J B Y
M E D O V M C M V S D E N Y M X
H Q H F Q T N A O D R T X G I N
Y A R W T C K L E I V Y F N E X
S P S R R A X F V M P U M O G W
I T P K B I F A A E J E B X U M
N Q F L F N A K B A B G I X M R
R T V I M E B J S F X D T S G H
Y S C M V M C Q M P F F F X P F
N L J J S K E T S J E K D U F M
F A A O J G V P A A O R R D W E
D V C S Q L J O K Y H W V D X T
E J N R C Y H N N G J K X R I A
J H B C N D Y F B O A C I L U R
C R U X D P J O G T X X M E H M
S I H K T H R M C A I L V M N S
```

1. Air Traffic Control (ATC)
2. Visual Flight Rules (VFR)
3. Instrument Flight Rules (IFR)
4. Federal Aviation Administration (FAA)
5. International Civil Aviation Organization (ICAO)
6. Minimum Equipment List (MEL)
7. Passenger Name Record (PNR)
8. Visual Meteorological Conditions (VMC)
9. Runway Visual Range (RVR)
10. Meteorological Aerodrome Report (MAR)
11. Terminal Aerodrome Forecast (TAF)

Airport Facilities

T	X	T	G	G	L	N	J	O	F	E	O	T	X	A	C
O	C	J	A	M	X	P	M	G	V	Q	A	B	E	P	B
B	L	X	B	H	M	V	T	W	F	X	H	R	B	Y	O
V	E	E	F	X	R	O	L	Q	I	P	A	H	C	J	V
I	T	F	L	K	K	D	V	W	H	O	U	Q	G	F	N
G	O	H	L	O	D	I	A	Y	G	R	I	S	V	I	P
J	H	S	B	H	S	Y	D	R	H	C	I	U	L	B	R
T	T	E	U	Q	C	H	A	N	C	A	H	P	F	G	S
E	R	G	S	H	U	C	V	U	J	R	R	V	R	Y	F
B	O	N	Y	C	Q	E	V	S	E	R	K	P	E	P	M
S	P	U	S	A	V	K	J	X	W	E	P	H	W	Q	G
R	R	O	O	F	W	E	G	Q	C	N	W	Q	O	N	S
F	I	L	I	R	S	N	F	D	Y	T	H	R	T	Y	T
K	A	T	W	D	R	P	U	X	O	A	P	D	L	O	H
A	P	R	O	N	C	K	Y	R	A	L	S	G	O	O	A
N	Q	O	E	A	T	I	V	A	D	S	Q	P	R	C	N
U	L	P	E	E	A	C	A	V	P	O	A	I	T	E	G
I	M	R	Q	I	L	A	N	I	M	R	E	T	N	C	A
M	E	I	Y	S	J	Q	M	K	U	P	D	F	O	U	R
J	A	A	C	E	G	S	E	S	X	N	X	S	C	R	E

RUNWAY   TAXIWAY
APRON   TERMINAL
CONTROL TOWER   HANGAR
CARGO AREA   CAR RENTALS
AIRPORT LOUNGES   AIRPORT HOTEL

Aviation Pioneers

```
T  D  V  L  N  F  Q  U  A  V  N  M  O  A  A  E
X  R  I  C  H  A  R  D  P  E  A  R  S  E  V  N
D  L  M  O  R  U  R  F  O  F  V  Y  Q  M  X  L
N  K  S  Y  K  S  R  O  K  I  S  R  O  G  I  O
S  L  M  H  B  J  P  P  L  F  Q  A  U  H  G  U
X  F  B  B  Y  D  V  L  I  U  B  Y  R  G  L  I
X  I  K  V  R  W  E  D  C  S  U  M  Q  R  E  S
U  A  P  G  F  W  H  A  E  R  O  T  K  E  N  B
L  F  O  R  R  N  K  Y  H  F  Y  Q  M  B  N  L
Y  B  M  I  U  Q  T  E  I  R  R  A  H  D  C  É
K  G  G  W  F  E  W  X  S  N  C  I  J  N  U  R
X  H  J  M  H  K  R  M  M  W  H  H  N  I  R  I
T  G  N  K  K  Q  T  D  I  K  J  P  O  L  T  O
E  G  Q  O  A  X  T  L  K  L  M  J  D  S  I  T
W  I  L  B  U  R  W  R  I  G  H  T  T  E  S  R
N  A  M  E  L  O  C  E  I  S  S  E  B  L  S  B
J  D  M  J  L  C  P  Y  P  I  T  P  B  R  X  U
T  R  A  H  R  A  E  A  I  L  E  M  A  A  I  O
H  I  P  K  R  W  F  N  F  I  V  Y  N  H  C  C
A  K  E  Q  J  Q  N  G  N  J  R  W  G  C  F  S
```

ORVILLE WRIGHT	WILBUR WRIGHT
AMELIA EARHART	CHARLES LINDBERGH
BESSIE COLEMAN	IGOR SIKORSKY
GLENN CURTISS	LOUIS BLÉRIOT
RICHARD PEARSE	HARRIET QUIMBY

Airline Alliances

```
D  N  D  E  H  L  V  S  H  R  L  H  S  H  D  W
G  K  M  S  A  T  U  Q  R  H  U  T  V  F  X  I
W  A  P  E  L  M  E  V  P  D  A  W  K  I  I  S
J  T  W  N  J  L  L  Y  Y  R  P  S  E  W  C  I
H  E  D  I  J  F  M  R  A  F  R  K  I  A  U  N
P  K  B  L  E  I  Y  L  U  A  K  C  D  O  N  G
Y  L  H  R  L  U  L  C  T  O  W  L  G  V  I  A
J  K  B  I  E  I  F  A  W  R  J  R  A  H  T  P
Y  R  L  A  A  M  Q  X  G  T  Y  Y  N  R  E  O
T  C  F  N  L  S  I  K  B  L  D  I  B  A  D  R
W  O  C  A  U  W  X  R  Q  L  C  O  G  C  A  E
W  E  H  P  K  O  L  A  A  J  H  I  B  A  I  A
E  Q  G  A  E  T  B  U  V  T  R  T  J  S  R  I
P  X  G  J  Y  K  F  C  X  M  E  U  T  N  L  R
O  N  E  W  O  R  L  D  E  F  Y  S  F  A  I  L
C  I  F  I  C  A  P  Y  A  H  T  A  C  H  N  I
B  G  M  U  L  O  B  W  K  X  Q  H  Q  T  E  N
J  U  A  G  C  T  M  A  E  T  Y  K  S  F  S  E
H  D  E  P  D  B  H  F  G  O  X  O  X  U  V  S
K  B  A  T  L  E  D  Y  T  M  I  U  R  L  V  L
```

STAR ALLIANCE	ONEWORLD
SKYTEAM	LUFTHANSA
EMIRATES	DELTA
QATAR	CATHAY PACIFIC
UNITED AIRLINES	SINGAPORE AIRLINES
JAPAN AIRLINES	

Countries that Start with A

```
X  J  K  U  X  F  A  H  I  H  R  V  A  I  A  H
G  L  C  T  N  Q  Q  P  E  C  B  F  T  N  V  P
T  R  I  H  U  Y  X  R  L  A  G  B  I  B  X  A
V  Y  X  H  K  F  U  E  I  H  L  T  H  V  J  I
N  I  G  O  K  F  R  L  A  D  N  X  E  Y  A  R
W  R  S  X  B  B  A  N  D  E  E  F  F  P  R  T
E  E  O  O  F  R  I  W  G  Q  A  T  A  T  L  S
A  S  S  E  T  S  N  R  C  L  R  J  Z  G  E  U
M  W  N  S  T  C  A  O  L  R  M  O  E  G  C  A
K  X  U  A  Y  H  D  N  N  P  E  S  R  G  P  X
D  A  N  L  A  U  O  A  S  B  N  O  B  W  U  U
C  H  K  P  S  S  H  Y  Q  S  I  M  A  Q  D  C
Y  L  K  N  C  F  B  Y  F  O  A  R  I  T  D  B
A  E  V  L  T  M  A  S  P  C  S  K  J  A  S  B
A  L  B  A  N  I  A  H  I  F  Y  P  A  R  V  E
I  S  O  L  Y  W  N  B  V  V  G  B  N  R  N  C
I  H  I  G  I  T  V  J  A  F  U  M  W  O  B  S
Y  C  J  F  N  R  A  I  R  E  G  L  A  D  R  M
I  N  H  G  Y  A  P  Y  A  E  C  F  W  N  K  U
S  N  B  V  J  Y  W  F  A  T  U  R  M  A  C  I
```

AFGHANISTAN	ALBANIA
ALGERIA	ANDORRA
ANGOLA	ARGENTINA
ARMENIA	AUSTRALIA
AUSTRIA	AZERBAIJAN

Countries that Start with B

U	I	E	C	Q	B	Y	T	L	C	I	F	B	W	L	M
F	B	X	S	J	O	Q	G	S	D	Y	A	C	L	G	I
U	F	G	M	A	I	G	G	N	S	H	B	I	K	R	X
X	A	I	V	I	L	O	B	O	R	R	E	D	C	O	N
K	C	C	E	G	D	Y	V	A	D	Z	T	D	W	B	Y
B	A	O	Y	P	L	D	I	B	I	M	D	C	D	L	E
G	U	Q	F	M	U	N	X	L	R	B	B	Q	O	D	S
S	S	D	X	B	K	X	E	G	E	E	F	M	Q	T	Y
D	C	S	Q	D	E	B	T	W	O	N	U	G	G	C	U
O	Q	L	A	K	E	L	D	I	T	I	B	W	I	E	C
A	O	Y	P	M	K	D	A	A	G	N	V	T	C	K	V
Y	O	J	A	F	A	H	R	R	D	V	J	N	C	R	S
R	D	W	J	Q	Y	H	X	X	U	Y	J	M	S	Y	V
B	Q	I	S	W	O	U	A	Y	F	S	B	N	O	O	I
K	J	D	D	B	S	B	D	B	A	D	I	X	D	G	R
O	N	A	T	U	H	B	J	W	S	F	P	M	A	P	Q
J	M	C	W	M	N	N	F	P	C	Q	O	V	B	S	S
S	R	R	H	S	E	D	A	L	G	N	A	B	R	Y	M
S	Y	M	T	F	G	N	K	Q	X	W	O	Q	A	D	J
M	U	I	G	L	E	B	I	I	W	P	O	S	B	S	X

BAHAMAS   BAHRAIN
BANGLADESH   BARBADOS
BELARUS   BELGIUM
BELIZE   BENIN
BHUTAN   BOLIVIA

Countries that Start with C

```
P  R  L  Y  S  P  C  V  L  E  O  R  C  O  N  C
L  D  W  J  K  P  G  V  M  M  O  A  P  E  X  N
T  U  E  Y  J  E  G  O  K  K  M  L  P  P  D  O
C  A  T  J  N  W  C  R  D  B  K  R  C  E  W  H
S  R  Q  I  H  I  R  E  O  R  O  N  T  K  U  P
E  Y  V  F  D  K  C  D  A  G  N  L  I  T  A  V
E  L  L  L  G  B  I  W  N  W  G  S  D  S  J  B
I  D  I  U  C  A  C  O  D  E  L  P  Q  C  V  L
Q  O  R  H  P  O  C  A  L  X  Y  M  T  N  E  N
E  D  O  E  C  N  L  H  G  E  G  H  N  B  G  F
U  D  E  P  V  M  P  O  N  B  R  Q  E  E  Y  R
B  H  P  U  O  O  Q  M  M  O  X  J  R  C  D  C
A  N  I  H  C  W  B  E  S  B  O  Q  U  N  P  C
U  I  P  U  C  O  Q  A  D  E  I  L  B  B  D  I
T  F  V  E  G  E  F  B  C  O  S  A  O  A  T  X
O  G  D  H  P  T  Y  W  Q  G  A  A  R  D  N  A
F  C  J  A  K  D  N  J  D  R  F  P  X  A  K  A
U  H  V  J  H  N  O  O  R  E  M  A  C  N  R  R
J  I  E  R  E  C  I  L  A  I  R  G  I  A  I  U
S  O  R  O  M  O  C  T  M  V  M  R  D  C  C  B
```

CABO VERDE	CAMBODIA
CAMEROON	CANADA
CHAD	CHILE
CHINA	COLOMBIA
COMOROS	CONGO

Countries that Start with D, E

```
Q  X  L  G  A  W  P  F  E  V  W  C  D  J  A  F
W  S  F  O  T  K  Y  G  X  R  D  J  U  N  V  I
R  G  A  K  A  B  L  Q  N  R  I  Y  C  R  R  N
X  I  E  Y  I  U  Q  A  L  B  O  T  H  D  V  I
U  A  B  C  N  E  G  R  O  D  C  I  R  M  M  T
G  C  P  E  O  B  T  U  T  D  W  U  A  E  L  A
E  J  C  T  T  J  T  A  F  V  E  E  S  K  A  W
U  H  S  A  S  I  D  R  E  V  L  M  Q  U  R  S
D  O  K  T  E  K  N  Q  B  W  S  E  O  B  T  E
C  K  N  R  E  Y  C  E  C  K  A  T  F  A  J  X
M  L  Y  V  A  V  Q  I  R  N  L  H  K  E  E  M
G  L  X  F  U  M  B  S  N  H  V  I  K  S  F  U
T  L  L  W  M  X  N  E  L  J  A  O  D  N  X  A
A  R  Y  C  L  E  X  E  J  L  D  P  D  R  J  X
K  T  A  C  S  H  K  J  D  Q  O  I  Y  O  Q  P
X  M  P  B  Y  Q  K  R  V  O  R  A  F  D  H  X
E  W  Q  Y  R  L  B  M  C  W  W  F  Y  A  M  Q
K  D  R  C  G  A  C  I  N  I  M  O  D  U  U  G
Y  G  J  Q  K  E  C  S  G  I  L  N  T  C  A  J
T  E  O  H  B  I  A  J  Q  Q  K  F  C  E  K  I
```

DENMARK	DJIBOUTI
DOMINICA	ECUADOR
EGYPT	EL SALVADOR
ERITREA	ESTONIA
ESWATINI	ETHIOPIA

Countries that Start with F, G

```
E  G  F  K  K  D  N  O  L  A  F  N  F  M  L  X
H  V  N  F  C  B  C  H  Y  T  I  I  X  Y  P  N
W  S  Y  V  L  G  Q  X  S  E  N  K  Q  L  C  M
V  R  K  V  K  R  A  B  A  L  A  E  D  A  X  F
V  P  Y  R  W  T  H  G  A  L  C  F  D  O  O  F
A  S  N  H  A  R  V  N  K  E  I  G  E  P  E  J
U  J  K  S  B  K  D  J  E  N  G  N  V  X  G  W
G  I  Q  T  G  G  L  R  T  F  U  U  F  S  R  Y
S  T  B  J  C  E  G  V  S  K  I  G  M  E  E  G
G  Q  O  T  U  A  R  U  K  A  N  A  Y  U  G  D
X  N  J  B  D  U  V  M  A  E  E  Y  J  C  Y  Q
A  D  Q  R  W  I  O  C  A  S  A  Q  S  O  C  Y
H  X  U  U  W  B  J  G  Y  N  I  G  O  Y  A  Y
E  T  A  N  Q  O  K  I  M  J  Y  O  U  A  X  X
F  R  A  N  C  E  F  T  F  K  O  U  B  I  Y  T
K  J  W  A  N  S  C  B  H  M  O  K  P  G  M  K
D  S  V  I  V  P  H  T  E  P  F  A  T  R  K  G
C  G  G  H  S  Y  F  B  N  O  B  A  G  O  F  H
W  S  L  R  M  S  B  D  I  V  X  C  A  E  N  J
E  S  A  N  A  H  G  F  W  N  G  H  F  G  A  Q
```

FIJI	FINLAND
FRANCE	GABON
GEORGIA	GERMANY
GHANA	GREECE
GUINEA	GUYANA

Countries that Start with H, I

```
A  D  T  V  X  I  V  O  D  P  Y  P  H  U  A  H
F  T  I  D  L  K  M  O  S  E  E  O  B  I  C  R
L  C  A  L  D  S  X  Y  P  I  N  D  S  G  C  H
V  V  D  A  N  K  Y  V  Q  D  H  E  A  I  M  F
T  G  W  E  A  V  N  L  U  Q  N  R  M  C  R  U
F  M  P  A  L  Y  R  R  E  O  S  F  O  F  A  S
Y  A  B  V  E  X  A  E  D  A  I  R  R  T  J  D
F  Y  T  G  R  S  V  N  F  W  R  W  V  B  L  Q
D  M  M  L  I  T  I  L  K  V  A  S  Y  S  J  H
X  C  L  U  K  L  F  V  O  E  N  B  I  W  K  D
A  N  V  E  I  S  N  P  C  G  Y  U  F  B  Q  K
W  U  U  C  V  T  J  C  I  I  G  L  D  K  F  L
G  M  V  L  X  Q  I  O  H  W  I  C  A  X  S  W
X  P  H  A  T  P  M  A  J  Y  I  K  H  T  A  O
H  U  N  G  A  R  Y  C  H  Y  M  W  V  S  I  B
H  R  H  Q  A  R  I  W  N  U  Q  B  O  A  T  P
U  E  N  P  J  V  Q  X  F  U  T  O  Q  I  C  G
T  K  L  T  N  F  D  N  A  L  E  C  I  D  U  O
U  T  U  L  F  F  I  L  K  R  R  Q  V  N  Y  B
F  D  B  T  C  G  G  T  N  L  S  J  I  I  L  G
```

HAITI	HONDURAS
HUNGARY	ICELAND
INDIA	INDONESIA
IRAN	IRAQ
IRELAND	ISRAEL
ITALY	

Countries that Start with J, K

```
D T Y O P X O I D A F D J E V R
T I H T R F G T N Y M O H X U N
W A J K Q B Q W U T R G Q U I W
F W W E P P N I E D B L C M O L
P U Q V F M P A A V V V K T J L
F K B W J A V N B C S U E R K J
P Q Q A L D E Q L J Y F O I J O
S I P O K N O R T H K O R E A N
F A A Y I I U N O V K C J U H L
N H V C M K R B F K T Q C J P Y
Y C M I I V J I Y N H V Y R N Q
P N V N I A R M B F V T K K K L
E E Y W S S M C V A V I U T J O
H Y S V B N D A Q I T W I O B M
I P G X H Y B X J V D I J A S Y
J N Q E K G P E G A V Y X A V E
C E N B M R F Y N H M A U Y R V
O R L N A T S H K A Z A K N M G
N A T S Z Y G R Y K K A Y E R P
J S E R G U F T G R W R A K W O
```

JAMAICA	JAPAN
JORDAN	KAZAKHSTAN
KENYA	KIRIBATI
NORTH KOREA	SOUTH KOREA
KUWAIT	KYRGYZSTAN

Countries that Start with L

A	V	M	V	P	T	W	U	M	A	K	I	L	J	C	Y
E	C	T	C	I	V	W	T	J	X	F	A	H	W	J	T
P	S	B	W	R	J	V	P	Q	J	T	Y	Q	P	Y	L
W	F	G	F	H	P	V	V	L	V	P	A	N	Y	I	Y
P	G	R	H	I	E	B	W	I	U	B	R	B	T	U	F
A	D	U	G	F	N	W	A	I	C	V	R	H	E	B	Y
B	Y	O	P	I	E	T	N	E	K	M	U	P	I	T	C
F	B	B	P	R	P	U	P	C	Q	A	W	V	V	E	H
K	X	M	I	U	T	J	B	S	N	U	H	L	X	W	N
G	F	E	O	L	D	H	D	I	U	A	F	M	P	Y	P
T	Q	X	M	V	O	H	A	B	R	D	O	K	U	V	H
K	G	U	B	R	S	W	A	J	U	H	T	Y	N	D	X
W	P	L	D	P	D	O	F	J	E	E	P	R	F	A	H
U	U	F	I	B	A	E	A	F	B	T	N	D	A	E	D
L	E	B	A	N	O	N	R	L	K	I	M	V	I	K	I
N	I	E	T	S	N	E	T	H	C	E	I	L	R	M	J
U	D	A	S	H	T	L	R	C	N	V	P	D	E	Y	U
K	T	T	P	A	G	O	H	T	O	S	E	L	B	K	G
E	L	C	W	J	H	C	J	R	S	R	Y	A	I	F	U
H	R	S	N	G	R	O	A	Y	X	X	C	N	L	H	D

LAOS	LATVIA
LEBANON	LESOTHO
LIBERIA	LIBYA
LIECHTENSTEIN	LITHUANIA
LUXEMBOURG	

Countries that Start with M

```
M  O  J  P  J  D  Q  J  A  X  W  M  M  U  V  A
D  C  U  A  Q  P  R  A  F  T  J  A  O  G  P  A
S  I  R  N  U  X  P  G  P  R  D  P  A  G  I  R
O  X  S  E  B  T  S  P  Y  A  M  I  D  E  A  U
Y  E  Y  P  T  V  I  J  G  H  M  N  O  J  A  M
V  M  T  H  H  R  M  A  L  G  K  X  E  X  P  O
S  I  X  J  R  H  S  Y  F  Q  M  K  O  J  X  P
L  C  L  C  D  C  F  S  A  E  A  N  U  X  H  D
S  Y  S  A  A  W  F  G  I  W  U  X  W  D  L  B
V  N  A  R  M  O  F  M  R  R  R  T  O  F  L  U
Q  H  I  R  J  D  L  A  U  K  I  R  J  A  I  L
O  B  R  L  D  G  W  U  X  I  T  S  F  L  B  M
A  T  L  A  M  J  T  R  V  P  A  I  W  S  L  G
P  I  J  W  X  V  J  I  R  W  N  O  L  E  T  S
M  A  L  A  W  I  F  T  M  L  I  M  X  V  L  V
V  O  W  J  E  X  Q  I  N  R  A  T  B  I  R  Q
S  K  Q  M  S  Q  E  U  O  H  M  E  O  D  I  S
J  A  H  R  O  A  I  S  Y  A  L  A  M  L  K  N
A  I  S  E  N  O  R  C  I  M  M  I  B  A  I  F
R  E  G  U  C  M  O  L  D  O  V  A  R  M  C  A
```

MADAGASCAR	MALAWI
MALAYSIA	MALDIVES
MALI	MALTA
MAURITANIA	MAURITIUS
MEXICO	MICRONESIA
MOLDOVA	

Countries that Start with N

```
R  K  V  S  Y  B  C  U  M  I  V  R  N  H  A  J
R  K  N  S  U  T  Y  P  H  J  S  E  V  U  A  J
S  M  E  H  S  D  H  L  X  O  P  U  G  I  J  N
Q  N  X  F  G  P  N  Q  D  A  Y  A  N  R  G  U
C  K  O  N  C  A  Y  V  L  D  R  O  V  R  G  C
N  K  A  A  N  Y  T  G  M  A  D  G  M  C  A  J
R  K  W  A  C  S  W  Q  C  E  N  I  A  L  Q  C
Q  N  U  F  E  P  R  I  C  T  I  P  S  P  M  W
I  R  A  I  N  F  N  A  Y  F  G  Q  C  U  D  N
U  L  X  I  E  O  M  C  I  Q  E  C  V  I  L  M
J  W  J  F  B  H  R  S  I  S  R  R  N  D  G  M
G  T  L  H  T  I  S  W  U  N  F  Y  R  N  S  V
K  R  K  R  H  T  M  X  A  I  V  M  B  A  J  R
L  J  O  N  R  F  W  A  H  Y  V  H  K  L  H  Q
G  N  M  B  C  M  U  K  N  G  L  A  E  A  R  T
A  I  R  E  G  I  N  V  W  S  H  D  E  E  Q  X
A  P  C  Y  F  U  A  D  O  A  W  N  I  Z  K  A
L  M  S  D  N  A  L  R  E  H  T  E  N  W  H  J
Y  N  E  F  Q  Y  E  S  I  U  U  C  S  E  N  K
L  C  X  Q  M  W  H  E  N  W  C  K  J  N  I  S
```

NAMIBIA	NAURU
NEPAL	NETHERLANDS
NEW ZEALAND	NICARAGUA
NIGER	NIGERIA
NORTH MACEDONIA	NORWAY

Countries that Start with O, P

```
D  T  L  L  X  B  K  U  C  E  R  X  P  N  Y  H
U  N  J  L  E  L  M  K  F  O  Y  A  X  C  C  P
J  K  S  F  A  W  M  S  O  O  K  G  E  O  F  P
J  C  A  K  T  L  L  T  O  I  Y  W  O  B  O  L
T  O  I  R  J  T  O  X  S  V  A  T  V  L  F  R
G  F  F  P  D  V  P  T  D  T  H  U  A  S  E  T
R  P  V  I  U  D  A  I  G  L  W  N  P  A  P  H
O  D  T  E  P  N  I  J  T  K  D  G  O  E  W  S
J  S  O  P  S  A  J  S  B  I  D  R  R  N  Q  V
X  C  A  W  K  C  R  W  G  I  I  C  T  I  F  O
K  I  X  I  U  K  S  A  B  G  A  J  U  U  C  C
G  H  I  E  T  N  B  D  G  O  U  C  G  G  Y  H
R  L  W  N  Q  J  A  J  W  U  E  G  A  W  K  N
J  V  H  G  G  R  K  M  Q  Y  A  D  L  E  Q  Y
P  A  L  A  U  L  D  V  O  Q  H  Y  E  N  L  P
E  B  S  E  N  I  P  P  I  L  I  H  P  A  V  E
J  W  I  Y  J  I  V  J  T  S  O  R  U  U  J  S
L  G  U  S  X  M  N  A  M  A  N  A  P  P  A  U
P  P  A  N  M  S  K  O  E  K  Q  Q  R  A  T  E
T  Y  U  U  R  E  P  H  T  D  F  R  G  P  R  W
```

OMAN	PAKISTAN
PALAU	PANAMA
PAPUA NEW GUINEA	PARAGUAY
PERU	PHILIPPINES
POLAND	PORTUGAL

Countries that Start with Q, R

```
J  P  N  K  I  K  B  Q  P  P  K  G  R  S  O  V
I  L  I  A  O  Y  F  T  U  T  K  O  J  W  P  K
S  S  G  Q  M  F  A  N  N  R  M  C  L  I  N  Y
W  S  E  W  Q  X  V  V  T  A  Y  V  W  Y  H  F
V  S  H  V  B  O  S  I  N  A  Q  N  U  I  O  C
W  L  N  G  A  C  C  I  G  F  D  R  Y  T  W  U
G  U  M  T  X  K  A  Q  B  D  U  P  J  K  U  L
T  L  K  B  A  C  N  F  M  V  B  I  L  Q  N  I
P  Y  C  E  I  C  F  J  V  C  P  P  K  X  R  N
A  G  B  O  P  V  V  F  C  N  G  D  Q  Y  A  D
A  T  T  A  R  A  Q  V  P  T  O  S  C  U  U  Y
J  F  R  B  G  A  L  N  F  K  M  S  V  P  O  Y
W  E  M  N  W  L  T  D  W  L  Q  P  I  Q  B  X
T  J  U  I  V  K  R  A  A  S  T  O  O  Q  R  U
R  U  S  S  I  A  V  L  Q  L  V  A  M  M  L  S
D  O  P  R  U  Y  N  S  M  E  N  P  H  Y  D  P
K  O  T  U  I  L  F  E  V  R  A  H  P  A  H  Y
Y  O  F  F  E  M  R  A  D  N  A  W  R  B  W  M
R  Q  F  S  U  J  C  J  Y  W  G  H  K  F  M  B
H  L  K  D  D  C  N  A  B  Q  Y  K  H  S  A  E
```

QATAR   ROMANIA
RUSSIA   RWANDA

Countries that Start with S

```
U  T  Y  A  P  A  K  E  I  P  K  K  S  J  M  M
Y  X  F  J  C  J  L  N  A  U  B  L  H  G  O  R
V  A  E  J  Y  P  O  Q  Q  U  O  H  Y  D  T  S
C  J  S  V  R  O  C  L  I  V  C  N  U  P  Y  U
Q  N  V  U  V  Q  L  E  A  E  Y  A  R  O  A
K  E  B  I  Q  Q  I  N  S  D  S  Q  I  K  Q  O
N  U  X  A  F  T  I  A  E  G  F  A  U  W  B  F
Q  A  O  E  S  A  U  W  T  V  J  G  A  X  C  S
B  N  I  W  T  R  S  V  T  H  Q  H  G  X  T  F
C  Y  S  K  Y  R  I  T  H  C  Q  W  Q  Y  R  B
O  L  A  O  A  O  F  L  P  J  V  O  I  G  F  M
P  X  V  X  W  V  K  V  A  L  N  F  W  H  G  C
T  S  T  G  K  W  O  U  A  N  J  R  Y  I  E  H
E  L  T  K  E  V  R  L  D  S  K  V  E  K  W  X
S  O  M  A  L  I  A  L  S  Y  O  A  T  B  J  U
L  Y  D  N  A  L  R  E  Z  T  I  W  S  N  I  W
E  E  D  N  G  S  F  F  J  I  J  Y  B  I  M  H
N  B  A  C  I  R  F  A  H  T  U  O  S  A  L  U
W  O  T  Q  J  F  V  O  J  J  N  H  F  P  V  M
T  U  N  A  D  U  S  E  H  J  A  N  W  S  N  G
```

SLOVAKIA	SLOVENIA
SOMALIA	SOUTH AFRICA
SPAIN	SRI LANKA
SUDAN	SWEDEN
SWITZERLAND	SYRIA

Countries that Start with T

```
D  S  E  N  E  D  U  M  H  C  G  J  T  T  W  L
P  G  N  N  A  W  I  N  F  U  C  A  D  H  K  H
L  U  S  C  H  T  H  N  C  O  J  X  U  W  W  V
Q  E  L  A  P  I  S  P  Q  I  I  A  N  W  A  H
H  G  X  A  Q  R  Q  I  K  F  W  P  J  O  W  D
A  E  D  C  V  H  Q  I  N  L  O  Y  P  T  O  L
J  G  X  D  G  U  S  G  D  E  T  V  W  D  M  N
P  Y  N  M  T  T  T  H  X  D  M  B  V  T  I  S
S  F  J  O  A  U  K  R  E  F  K  K  X  X  V  R
F  U  B  N  T  C  N  B  L  O  T  S  R  E  X  T
Y  F  U  O  A  T  B  I  G  Y  P  R  T  U  Q  H
R  C  X  B  S  W  G  M  S  P  O  S  K  L  T  N
T  C  K  F  P  U  I  S  V  I  I  M  H  D  F  T
V  E  W  U  O  V  P  A  J  O  A  B  K  N  U  Q
D  A  H  H  T  D  H  A  T  X  J  J  M  A  E  E
A  U  O  Y  N  Y  L  P  F  M  D  B  R  L  O  X
H  Y  A  G  M  D  P  Y  W  H  H  U  P  I  E  T
P  J  R  B  O  A  I  N  A  Z  N  A  T  A  N  F
N  R  T  P  Q  T  Q  C  O  J  Q  R  V  H  J  F
C  Y  E  K  R  U  T  F  R  A  U  C  V  T  M  P
```

TAIWAN	TAJIKISTAN
TANZANIA	THAILAND
TOGO	TONGA
TUNISIA	TURKEY
TURKMENISTAN	TUVALU

Countries that Start with U

```
V  S  A  M  H  F  C  U  X  K  L  Q  U  U  K  Q
I  H  C  B  R  V  P  Y  N  F  M  K  Y  R  O  K
Y  V  I  G  W  H  J  S  E  S  R  F  V  V  F  W
A  H  R  N  J  Y  H  R  K  A  N  Q  P  S  N  O
G  P  E  R  M  F  D  Q  I  Y  S  N  F  E  S  G
E  T  M  A  J  K  L  N  X  O  L  Q  Q  T  O  I
Y  E  A  X  M  U  E  M  B  T  U  M  Q  A  T  O
F  Q  F  N  R  A  W  P  W  C  N  L  L  R  O  Y
U  J  O  Q  M  U  K  M  N  B  I  U  F  I  K  V
K  I  S  A  K  B  V  O  M  T  T  Z  U  M  C  V
O  U  E  W  D  T  X  E  H  B  E  B  C  E  V  G
D  I  T  H  G  N  A  S  W  K  D  E  G  B  U  M
N  Y  A  X  D  X  A  G  D  H  K  K  X  A  I  K
O  A  T  G  M  V  O  G  G  Q  I  I  M  R  T  A
P  X  S  G  J  C  X  B  U  A  N  S  F  A  M  E
S  C  D  Q  U  T  H  B  I  C  G  T  U  D  O  J
A  J  E  J  A  T  N  A  E  T  D  A  Y  E  R  W
J  T  T  S  F  U  I  A  I  T  O  N  M  T  X  S
B  F  I  C  S  E  M  J  N  U  M  B  K  I  Q  B
L  H  N  O  U  K  S  B  E  W  S  O  C  N  A  B
R  T  U  Q  E  U  R  U  G  U  A  Y  W  U  V  C
```

UGANDA   UKRAINE
UNITED ARAB EMIRATES   UNITED KINGDOM
UNITED STATES OF AMERICA   URUGUAY
UZBEKISTAN

Countries that Start with V, W, X, Y, Z

E	H	W	L	H	V	D	L	U	N	Y	M	V	K	A	O
Q	O	N	G	U	O	W	T	U	C	G	A	P	V	X	Y
M	F	V	F	Y	D	P	O	M	D	T	E	F	A	E	A
X	E	N	K	L	V	S	W	O	I	C	M	D	Y	Q	A
H	U	K	N	E	M	E	Y	C	U	D	L	X	A	P	I
K	B	G	P	S	E	W	A	K	C	Q	G	G	G	Q	B
A	R	A	H	A	S	N	R	E	T	S	E	W	E	S	M
F	N	R	S	N	C	X	N	A	W	D	R	E	T	X	A
P	V	U	A	I	H	X	O	C	W	Y	D	X	Q	J	Z
A	N	U	T	U	F	D	N	A	S	I	L	L	A	W	U
D	F	Y	H	A	M	P	T	H	L	K	E	X	O	A	Q
I	Q	R	K	A	U	V	R	G	N	O	X	L	U	Q	U
D	Y	A	Y	K	M	N	Y	M	O	S	M	T	F	H	U
P	Q	L	K	C	E	W	A	W	B	H	W	P	M	O	K
M	Q	R	P	W	N	W	L	V	U	Y	U	T	A	C	L
K	E	K	B	G	E	B	K	K	E	A	V	R	N	G	G
V	L	R	D	W	C	J	G	G	A	F	F	M	T	F	B
X	Y	G	Y	A	L	E	U	Z	E	N	E	V	E	C	H
K	Q	E	W	B	A	B	M	I	Z	R	R	I	I	Y	J
P	B	T	R	I	J	K	G	E	S	Q	K	B	V	K	E

VANUATU
VENEZUELA
WALLIS AND FUTUNA
YEMEN
ZIMBABWE

VATICAN CITY
VIETNAM
WESTERN SAHARA
ZAMBIA

Most Iconic Landmarks in New York

```
G  V  G  Y  O  R  U  C  Q  F  O  R  T  P  W  D
M  X  H  N  A  S  C  V  H  S  J  X  G  H  E  O
X  G  E  U  N  E  V  A  H  T  F  I  F  P  N  R
M  R  H  N  P  S  O  K  Q  D  L  B  B  F  B  O
Q  T  Q  V  K  Q  K  L  P  R  V  H  Y  T  J  C
O  T  C  V  U  I  U  H  J  R  I  L  I  W  O  K
B  R  O  O  K  L  Y  N  B  R  I  D  G  E  F  E
O  D  N  A  L  S  I  S  I  L  L  E  F  U  N  F
W  B  R  O  A  D  W  A  Y  H  A  Q  S  Y  F  E
G  Q  Y  O  K  R  A  P  L  A  R  T  N  E  C  L
N  W  S  Q  V  F  O  B  F  X  L  P  P  Y  L  L
T  H  E  H  I  G  H  L  I  N  E  R  S  N  C  E
F  O  P  A  M  V  A  E  C  U  R  L  F  A  M  R
G  H  U  I  U  O  B  D  M  J  X  I  H  F  E  C
S  T  A  T  U  E  O  F  L  I  B  E  R  T  Y  E
D  O  H  T  F  D  N  M  O  U  B  T  N  L  G  N
O  P  N  Y  Q  A  V  E  V  I  Q  G  I  F  H  T
I  L  E  R  A  U  Q  S  S  E  M  I  T  T  W  E
C  J  L  N  M  A  O  K  H  N  S  P  E  O  G  R
G  N  I  D  L  I  U  B  R  E  L  S  Y  R  H  C
```

STATUE OF LIBERTY   TIMES SQUARE
CENTRAL PARK   BROOKLYN BRIDGE
ROCKEFELLER CENTER   BROADWAY
THE HIGH LINE   FIFTH AVENUE
CHRYSLER BUILDING   ELLIS ISLAND

Most Iconic Landmarks in London

K	S	C	A	M	D	E	N	M	A	R	K	E	T	V	Y
O	U	G	C	H	R	I	S	O	J	N	A	K	Q	B	T
N	S	V	J	N	U	F	P	W	M	E	V	W	A	C	K
E	R	A	U	Q	S	R	A	G	L	A	F	A	R	T	P
V	W	G	C	S	G	H	G	X	V	T	M	U	E	D	O
W	J	F	E	V	A	H	C	P	C	A	Y	Y	C	G	G
D	G	Q	U	L	W	Q	M	O	O	T	T	T	A	D	I
N	H	M	L	E	S	H	D	V	V	O	Y	H	L	P	W
R	N	U	V	W	U	V	Y	U	E	W	L	E	A	C	P
E	Y	E	N	O	I	G	G	U	N	E	O	S	P	R	R
D	E	S	A	E	M	Y	D	O	T	R	N	H	M	G	S
O	N	U	J	H	B	V	W	B	G	B	D	A	A	B	L
M	B	M	I	P	X	G	N	R	A	R	O	R	H	F	G
E	X	H	D	S	B	P	I	S	R	I	N	D	G	P	U
T	P	S	I	T	A	C	D	B	D	D	E	R	N	O	G
A	S	I	J	H	K	L	J	M	E	G	Y	X	I	U	K
T	O	T	B	I	N	X	G	B	N	E	E	M	K	X	G
S	M	I	J	N	H	X	O	K	V	Q	M	O	C	O	K
Q	Q	R	O	N	J	T	K	G	P	J	U	L	U	R	C
P	E	B	S	M	K	A	A	I	W	P	M	N	B	V	P

BIG BEN	BUCKINGHAM PALACE
TOWER BRIDGE	BRITISH MUSEUM
LONDON EYE	TRAFALGAR SQUARE
THE SHARD	COVENT GARDEN
CAMDEN MARKET	TATE MODERN

Most Iconic Landmarks in Shanghai

M	E	L	G	I	A	A	T	D	J	M	E	Y	T	S	P
V	E	L	S	N	U	U	U	H	D	K	J	J	C	T	Y
S	R	Q	P	E	A	E	L	F	L	Q	S	O	T	K	C
X	A	T	C	M	H	F	S	B	N	F	R	D	N	R	M
I	U	G	V	Q	E	H	I	Q	X	G	P	W	I	C	W
N	Q	O	W	M	O	T	C	Z	T	O	C	P	R	E	P
T	S	J	S	D	G	T	N	J	N	D	M	Y	P	N	H
I	S	A	M	Y	R	R	O	A	T	A	U	W	R	T	L
A	E	D	W	G	U	F	E	P	G	R	I	I	E	U	X
N	L	V	N	Y	X	G	G	P	B	N	V	T	W	R	P
D	P	M	N	U	E	W	A	Y	A	I	I	K	O	Y	T
I	O	D	T	T	B	P	A	R	H	R	B	J	T	P	Y
I	E	S	M	Y	F	E	S	H	D	P	Q	J	I	A	D
G	P	K	H	O	E	A	H	H	T	E	Y	D	A	R	O
T	B	T	F	X	Q	H	V	T	O	K	N	C	H	K	V
E	L	P	M	E	T	A	U	H	G	N	O	L	G	A	E
S	V	O	L	X	Y	E	P	K	Y	H	P	M	N	E	N
J	P	R	E	W	O	T	O	A	M	N	I	J	A	R	B
Q	A	C	W	N	U	Y	N	N	V	G	N	I	H	T	H
I	W	E	W	R	N	Y	U	V	F	H	H	V	S	G	E

THE BUND	JIN MAO TOWER
SHANGHAI TOWER	YU GARDEN
TIANZIFANG	LONGHUA TEMPLE
PEOPLE'S SQUARE	XINTIANDI
JING'AN TEMPLE	CENTURY PARK

Most Iconic Landmarks in Amsterdam

```
R  M  E  E  K  U  K  R  J  A  W  H  P  S  K  F
R  H  M  R  D  T  W  Q  D  F  U  J  Y  Y  B  R
E  O  V  M  A  U  R  M  E  J  K  X  D  L  D  P
X  I  L  L  A  U  H  O  A  L  O  H  F  K  K  A
F  F  H  C  N  C  Q  N  A  E  N  B  L  C  G  X
F  P  H  C  U  E  N  S  Y  P  Y  S  G  B  Q  S
U  B  D  N  G  R  X  C  M  L  T  U  N  R  L  A
M  O  M  G  H  L  O  B  Q  A  Q  F  K  I  L  W
V  U  B  K  F  X  A  V  T  H  D  G  M  P  F  T
Q  U  M  U  E  S  U  M  H  G  O  G  N  A  V  F
E  L  V  N  B  U  K  E  H  L  N  O  B  D  S  H
R  E  M  B  R  A  N  D  T  H  O  U  S  E  E  K
S  T  C  I  R  T  S  I  D  N  A  A  D  R  O  J
K  V  A  O  E  C  A  L  A  P  L  A  Y  O  R  A
A  N  N  E  F  R  A  N  K  H  O  U  S  E  P  M
G  Y  R  E  S  M  T  L  E  B  L  A  N  A  C  T
A  T  U  F  I  O  K  M  S  M  K  G  R  X  D  D
S  L  M  U  E  S  U  M  S  K  J  I  R  K  A  C
K  R  A  P  L  E  D  N  O  V  G  U  T  S  D  M
H  K  O  S  D  R  C  M  N  H  W  D  T  Q  T  T
```

ANNE FRANK HOUSE
VAN GOGH MUSEUM
CANAL BELT
ROYAL PALACE
REMBRANDT HOUSE

RIJKSMUSEUM
DAM SQUARE
VONDELPARK
JORDAAN DISTRICT

Most Iconic Landmarks in Berlin

A	E	S	T	V	S	A	Y	U	C	R	M	E	T	P	Q
V	C	L	D	P	L	O	E	Y	N	H	U	K	Y	U	Y
J	H	P	M	G	F	H	I	D	U	P	E	M	R	J	R
F	E	Q	H	U	P	V	T	D	M	U	S	N	E	P	E
R	C	G	L	A	J	A	M	R	W	R	U	N	L	T	I
H	K	R	A	B	D	W	A	M	U	X	M	O	L	F	C
Y	P	I	X	C	I	V	N	U	W	K	N	B	A	W	H
W	O	N	F	X	T	O	O	S	B	A	O	U	G	T	S
U	I	R	E	P	T	O	E	E	X	D	M	Q	N	C	T
D	N	G	B	E	H	A	V	U	G	D	A	F	I	J	A
Y	T	E	N	H	W	H	Y	M	X	G	G	V	L	V	G
M	C	U	Q	L	G	U	S	R	J	N	R	N	R	C	B
W	H	A	J	I	W	R	B	Q	Q	H	E	G	E	E	U
T	A	I	I	N	A	V	I	J	N	B	P	X	B	E	I
B	R	A	N	D	E	N	B	U	R	G	G	A	T	E	L
F	L	A	P	H	T	B	Y	V	T	N	K	P	S	L	D
W	I	A	C	G	P	U	M	L	N	A	B	V	A	W	I
Q	E	A	L	L	A	W	N	I	L	R	E	B	E	K	N
S	N	N	M	L	U	X	P	W	T	H	Y	Y	G	F	G
N	E	D	R	A	G	L	A	C	I	G	O	L	O	O	Z

BRANDENBURG GATE   BERLIN WALL
REICHSTAG BUILDING   CHECKPOINT CHARLIE
PERGAMON MUSEUM   ZOOLOGICAL GARDEN
DDR MUSEUM   EAST BERLIN GALLERY

Answers

Parts of a Plane

1. Cockpit

2. Jet Engine

3. Wing

4. Fuselage

5. Vertical Stabilizer

6. Horizontal Stabilizer

7. Airplane Nose

Cost of Living Check 1

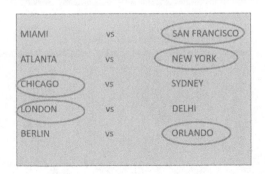

Cost of Living Check 2

(MELBOURNE)	vs	MANCHESTER
(BRISBANE)	vs	BANGKOK
(BALI)	vs	KUALA LUMPUR
WASHINGTON DC	vs	(SINGAPORE)
(PARIS)	vs	PENANG

World Map Quiz 1

World Map Quiz 2

World Map Quiz 3

World Map Quiz 4

World Map Quiz 5

US Capitals Quiz 1

Arkansas - Little Rock

California – Sacramento

Colorado - Denver

Florida - Tallahassee

Georgia - Atlanta

US Capitals Quiz 2

Hawaii - Honolulu

Illinois - Springfield

Indiana - Indianapolis

Kansas - Topeka

Louisiana - Baton Rouge

US Capitals Quiz 3

Massachusetts - Boston

Minnesota - St. Paul

Missouri - Jefferson City

Nebraska - Lincoln

New Hampshire - Concord

US Capitals Quiz 4

New Mexico - Santa Fe

New York – Albany

North Carolina – Raleigh

North Dakota – Bismarck

Ohio – Columbus

US Capitals Quiz 5

South Dakota - Pierre

Texas - Austin

Vermont - Montpelier

Washington - Olympia

Wisconsin - Madison

World Capitals Quiz 1

Albania - Tirana

Algeria - Algiers

Angola - Luanda

Armenia - Yerevan

Austria - Vienna

World Capitals Quiz 2

Bahamas - Nassau

Bahrain - Manama

Belarus - Minsk

Belgium - Brussels

Bhutan - Thimphu

World Capitals Quiz 3

Bosnia and Herzegovina - Sarajevo

Botswana - Gaborone

Brazil - Brasília

Bulgaria - Sofia

Cambodia - Phnom Penh

World Capitals Quiz 4

Canada - Ottawa

Chile - Santiago

China - Beijing

Colombia - Bogotá

Comoros - Moroni

World Capitals Quiz 5

Croatia - Zagreb

Cuba - Havana

Cyprus - Nicosia

Denmark - Copenhagen

Dominica - Roseau

World Capitals Quiz 6

Ecuador - Quito

Egypt - Cairo

Estonia - Tallinn

Fiji - Suva

Finland - Helsinki

World Capitals Quiz 7

France - Paris

Gambia - Banjul

Georgia - Tbilisi

Ghana - Accra

Guinea - Conakry

World Capitals Quiz 8

Guyana - Georgetown

Hungary - Budapest

India - New Delhi

Iran - Tehran

Iraq - Baghdad

World Capitals Quiz 9

Ireland - Dublin

Italy - Rome

Japan - Tokyo

Jordan - Amman

Kenya - Nairobi

World Capitals Quiz 10

Korea, South - Seoul

Kosovo - Pristina

Latvia - Riga

Lebanon - Beirut

Libya - Tripoli

Mazes

Maze 1

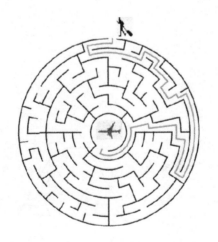

Maze 2

Maze 3

Maze 4

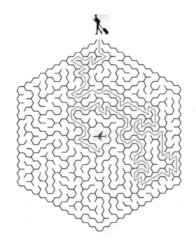

Maze 5

Maze 6

Maze 7

Maze 8

Maze 9

Maze 10

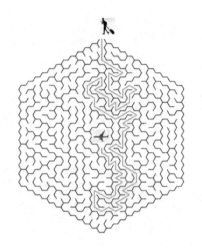

Maze 11

Maze 12

Maze 13

Maze 14

Maze 15

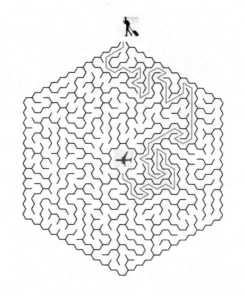

Crosswords

Airport Codes 1

ACROSS
2. Los Angeles International Airport
3. Beijing Capital International Airport
5. Shanghai Pudong International Airport
6. Hartsfield-Jackson Atlanta International Airport
8. O'Hare International Airport

DOWN
1. HND
4. Hong Kong International Airport
7. Heathrow Airport
9. Dubai International Airport

Airport Codes 2

ACROSS
1. Dallas-Fort Worth International Airport
3. Amsterdam Airport Schiphol
5. Istanbul Atatürk Airport
6. Incheon International Airport
8. Denver International Airport

DOWN
2. Frankfurt am Main International Airport
4. Singapore Changi Airport
7. Guangzhou Baiyun International Airport
8. Indira Gandhi International Airport

113

Airport Codes 3

ACROSS
3. Chengdu Shuangliu International Airport
4. McCarran International Airport
6. Chhatrapati Shivaji International Airport
8. John F. Kennedy International Airport

DOWN
1. Barcelona El Prat Airport
2. Kuala Lumpur International Airport
5. San Francisco International Airport
6. Suvarnabhumi Airport
7. Adolfo Suárez Madrid Barajas Airport

History of Airplanes

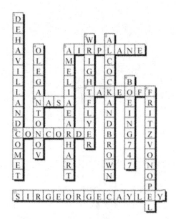

ACROSS
5. The _____ brothers achieved the first controlled airplane flight in 1903.
7. The process of increasing an aircraft's speed in order to lift off the ground.
9. The U.S. government agency responsible for the nation's civilian space program and for aeronautics and aerospace research.
10. The supersonic airliner developed in the 1960s, capable of flying faster than the speed of sound.
11. The "Father of Modern Aeronautics" who formulated the three basic principles of flight.

DOWN
1. The world's first commercial jet airliner, introduced in 1952 by British Overseas Airways Corporation (BOAC).
2. The type of aircraft that the Wright brothers built and flew in 1903.
3. The first aircraft to complete a non-stop transatlantic flight in 1919.
4. The Russian aircraft designer who created the world's largest airplane, the Antonov An-225 Mriya.
5. The first woman to fly solo across the Atlantic Ocean in 1932.
6. The name of the Boeing aircraft that became one of the symbols of long-distance air travel after its introduction in 1970.
8. The German engineer who designed the first successful rocket-powered aircraft.

Types of Aircraft

ACROSS
1. Blimp or Zeppelin
7. An unpowered aircraft without an engine
9. A vehicle designed for space travel beyond the Earth's atmosphere
11. A rotary-wing aircraft that uses an unpowered rotor to auto-rotate and generate lift.
12. An aircraft capable of taking off and landing on water, using floats or hulls.

DOWN
2. Vertical Take off
3. Unmanned Aerial Vehicle
4. An aircraft used for aerial application of pesticides, fertilizers, or seeds on crops.
5. A smaller jet aircraft used for short to medium-haul flights between regional airports.
6. A high-speed military aircraft designed primarily for air-to-air combat
8. Fixed-wing aircraft
10. An aircraft with three sets of wings stacked one above the other

Airline Brands 1

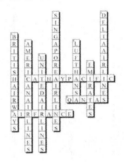

ACROSS
8. The largest airline of Hong Kong
9. The largest airline of Australia
10. The largest airline of France

DOWN
1. The largest airline of Singapore
2. One of the major airlines in the United States, known for its global network
3. The largest airline of the United Kingdom
4. One of the largest airlines in the world, headquartered in Fort Worth, Texas
5. The largest airline of Germany
6. A major American airline with hubs in various cities
7. The largest airline of the United Arab Emirates

115

Airline Brands 2

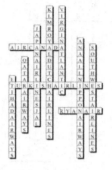

ACROSS
5. The flag carrier and largest airline of Canada
9. The national airline of Turkey
10. One of the largest low-cost airlines in Europe

DOWN
1. The flag carrier airline of the Netherlands
2. A British airline known for its stylish service and brand
3. One of the major airlines in Japan
4. The largest airline in Japan by fleet size
6. A major low-cost carrier in the United States
7. The state-owned flag carrier airline of Qatar
8. The national airline of the United Arab Emirates

Aircraft Manufacturers

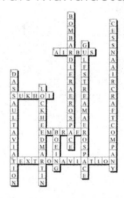

ACROSS
4. A European aircraft manufacturer and main rival of Boeing
7. A Russian aerospace manufacturer known for military aircraft
8. A Brazilian aerospace manufacturer producing commercial, military, and executive jets
10. An American aerospace and defense conglomerate

DOWN
1. A Canadian aerospace manufacturer known for regional jets
2. A renowned manufacturer of general aviation aircraft
3. A manufacturer of business jets and a subsidiary of General Dynamics
5. A French aerospace company known for producing fighter jets
6. An American global aerospace and defense company
9. The world's largest aerospace company

116

Air Travel Vocabulary

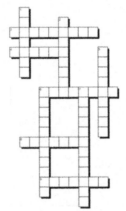

ACROSS
3. Turn this off during the flight
4. Important safety measure before the flight takes off.
6. Flying at a consistent altitude.
8. Greeting to passengers as they board the plane.
9. The plane is about to leave the gate

DOWN
1. Get ready for departure.
2. Farewell message from the crew.
5. Flight attendant personnel.
6. Dimming the lights for rest.
7. Stay seated until this sign is turned off.

In-Flight Entertainment

ACROSS
1. Lightweight, portable electronic devices used for entertainment.
4. These allow passengers to choose movies or shows.
8. Service that streams media content to personal devices.
9. The audio counterpart of in-flight entertainment.

DOWN
2. Magazines and newspapers provided to passengers
3. Popular on-demand video streaming service on some flights.
5. Pre-downloaded content on personal devices.
6. Airline's custom-made content for passengers.
7. Type of screen often used for in-flight entertainment

Countries with largest airline traffic

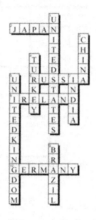

Most Popular Travel Destinations in USA

Most Popular Travel Destinations in Canada

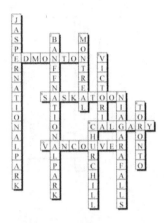

Most Popular Travel Destinations in France

Most Popular Travel Destinations in India

Most Popular Travel Destinations in Sri Lanka

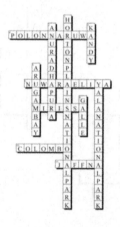

Most Popular Travel Destinations in Thailand

Most Popular Travel Destinations in Vietnam

Most Popular Travel Destinations in Mexico

Most Popular Travel Destinations in Germany

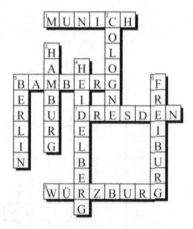

Most Popular Travel Destinations in Malaysia

Most Popular Travel Destinations in Poland

Most Popular Travel Destinations in Hungary

Most Popular Travel Destinations in Russia

Most Popular Travel Destinations in China

Most Popular Travel Destinations in New Zealand

Most Popular Travel Destinations in Colombia

Most Popular Travel Destinations in Argentina

126

Most Popular Travel Destinations in United Kingdom

Word Searches

Natural Wonders of the World

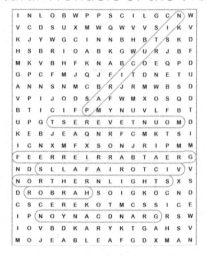

Man-Made Wonders of the World

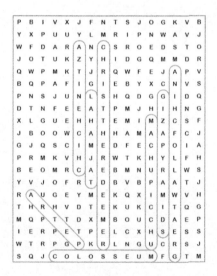

Famous Airports

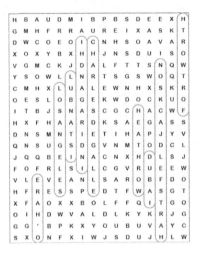

Aircraft Instruments

129

Flight Crew Roles

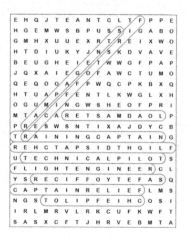

Aviation Acronyms

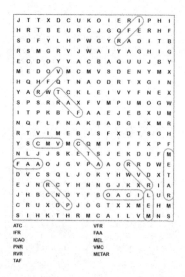

ATC
IFR
ICAO
PNR
RVR
TAF

VFR
FAA
MEL
VMC
METAR

Airport Facilities

Aviation Pioneers

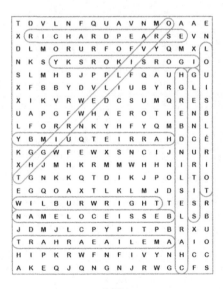

131

Airline Alliances

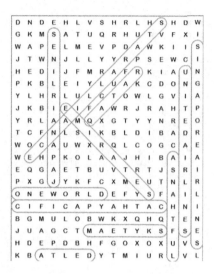

Countries that Start with A

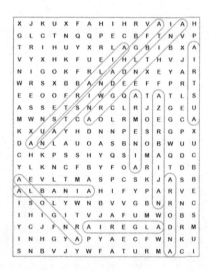

Countries that Start with B

Countries that Start with C

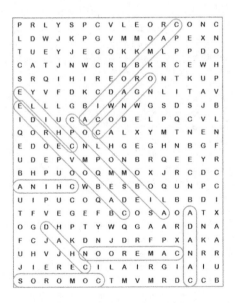

Countries that Start with D, E

```
Q  X  L  G  A  W  P  F  E  V  W  C  D  J  A  F
W  S  F  O  T  K  Y  G  X  R  D  J  U  N  V  I
R  G  A  K  A  B  L  Q  N  R  I  Y  C  R  R  N
X  I  E  Y  I  U  Q  A  L  B  O  T  H  D  V  I
U  A  B  C  N  E  G  R  O  D  C  I  R  M  M  T
G  C  P  E  O  B  T  U  T  D  W  U  A  E  L  A
E  J  C  T  T  J  T  A  F  V  E  E  S  K  A  W
U  H  S  A  S  I  D  R  E  V  L  M  Q  U  R  S
D  O  K  T  E  K  N  Q  B  W  S  E  O  B  T  E
C  K  N  R  E  Y  C  E  C  K  A  T  F  A  J  X
M  L  Y  V  A  V  Q  I  R  N  L  H  K  E  E  M
G  L  X  F  U  M  B  S  N  H  V  I  K  S  F  U
T  L  L  W  M  X  N  E  L  J  A  O  D  N  X  A
A  R  Y  C  L  E  X  E  J  L  D  P  D  R  J  X
K  T  A  C  S  H  K  J  D  Q  O  I  Y  O  Q  P
X  M  P  B  Y  Q  K  R  V  O  R  A  F  D  H  X
E  W  Q  Y  R  L  B  M  C  W  W  F  Y  A  M  Q
K  D  R  C  G  A  C  I  N  I  M  O  D  U  U  G
Y  G  J  Q  K  E  C  S  G  I  L  N  T  C  A  J
T  E  O  H  B  I  A  J  Q  Q  K  F  C  E  K  I
```

Countries that Start with F, G

```
E  G  F  K  K  D  N  O  L  A  F  N  F  M  L  X
H  V  N  F  C  B  C  H  Y  T  I  I  X  Y  P  N
W  S  Y  V  L  G  Q  X  S  E  N  K  Q  L  C  M
V  R  K  V  K  R  A  B  A  L  A  E  D  A  X  F
V  P  Y  R  W  T  H  G  A  L  C  F  D  O  O  F
A  S  N  H  A  R  V  N  K  E  I  G  E  P  E  J
U  J  K  S  B  K  D  J  E  N  G  N  V  X  G  W
G  I  Q  T  G  G  L  R  T  F  U  U  F  S  R  Y
S  T  B  J  C  E  G  V  S  K  I  G  M  E  E  G
G  Q  O  T  U  A  R  U  K  A  N  A  Y  U  G  D
X  N  J  B  D  U  V  M  A  E  E  Y  J  C  Y  Q
A  D  Q  R  W  I  O  C  A  S  A  Q  S  O  C  Y
H  X  U  U  W  B  J  G  Y  N  I  G  O  Y  A  Y
E  T  A  N  Q  O  K  I  M  J  Y  O  U  A  X  X
F  R  A  N  C  E  F  T  F  K  O  U  B  I  Y  T
K  J  W  A  N  S  C  B  H  M  O  K  P  G  M  K
D  S  V  I  V  P  H  T  E  P  F  A  T  R  K  G
C  G  G  H  S  Y  F  B  N  O  B  A  G  O  F  H
W  S  L  R  M  S  B  D  I  V  X  C  A  E  N  J
E  S  A  N  A  H  G  F  W  N  G  H  F  G  A  Q
```

Countries that Start with H, I

Countries that Start with J, K

Countries that Start with L

Countries that Start with M

Countries that Start with N

```
R K V S Y B C U M I V R N H A J
R K N S U T Y P H J S E V U A J
S M E H S D H L X O P U G I J N
Q N X F G P N Q D A Y A N R G U
C K O N C A Y V L D R O V R G C
N K A A N Y T G M A D G M C A J
R K W A C S W Q C E N I A L Q C
Q N U F E P R I C T I P S P M W
I R A I N F N A Y F G Q C U D N
U L X I E O M C I Q E C V I L M
J W J F B H R S I S R R N D G M
G T L H I I S W U N F Y R N S V
K R K R H T M X A I V M B A J R
L J O N R F W A H Y V H K L H Q
G N M B C M U K N G L A E A R T
A I R E G I N V W S H D E E Q X
A P C Y F U A D O A W N I Z K A
L M S D N A L R E H T E N W H J
Y N E F Q Y E S I U U C S E N K
L C X Q M W H E N W C K J N I S
```

Countries that Start with O, P

```
D T L L X B K U C E R X P N Y H
U N J L E L M K F O Y A X C C P
J K S F A W M S O O K G E O F P
J C A K T L L T O I Y W O B O L
T O I R J T O X S V A T V L F R
G F F P D V P T D T H U A S E T
R P V I U D A I G L W N P A P H
O D T E P N I J T K D G O E W S
J S O P S A J S B I D R R N Q V
X C A W K C R W G I I C T I F O
K I X I U K S A B G A J U U C C
G H I E T N B D G O U C G G Y H
R L W N Q J A J W U E G A W K N
J V H G G R K M Q Y A D L E Q Y
P A L A U L D V O Q H Y E N L P
E B S E N I P P I L I H P A V E
J W I Y J I V J T S O R U U J S
L G U S X M N A M A N A P P A U
P P A N M S K O E K Q Q R A T E
T Y U U R E P H T D F R G P R W
```

Countries that Start with Q, R

QATAR ROMANIA
RUSSIA RWANDA

Countries that Start with S

Countries that Start with T

Countries that Start with U

Countries that Start with V, W, X, Y, Z

Most Iconic Landmarks in New York

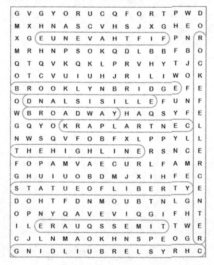

Most Iconic Landmarks in London

Most Iconic Landmarks in Shanghai

Most Iconic Landmarks in Amsterdam

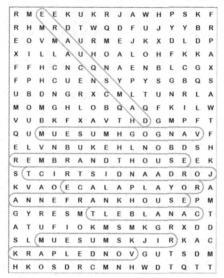

Most Iconic Landmarks in Berlin

Made in the USA
Columbia, SC
21 May 2024

35968796R00078